Cesare Marchi

# GRANDI PECCATORI GRANDI CATTEDRALI

Biblioteca Universale Rizzoli

ISBN 88-17-11526-6

*prima edizione BUR Supersaggi: giugno 1990*

Era come se il mondo stesso,
scrollandosi di dosso la sua vecchiezza,
si rivestisse
d'un bianco mantello di cattedrali

RODOLFO IL GLABRO
*monaco e cronista dell'XI secolo*

# Due parole al lettore

Il medioevo è di moda. Negli ultimi tempi, storici autorevoli e narratori suggestivi hanno destato una corrente d'interesse e di simpatia verso un'epoca calunniata e vilipesa; verso quelli che gl'illuministi, i positivisti, gli aedi delle magnifiche sorti e progressive avevano sommariamente chiamato «secoli bui». Furono proprio gli studenti dell'università americana di Berkeley, negli anni roventi della contestazione giovanile, a scandire come inno di ribellione alla civiltà materialistica e consumistica i versi di Verlaine «C'est vers le Moyen Age énorme et délicat / Qu'il faudrait que mon coeur en panne naviguât». Se l'età di mezzo fu una lunga notte fra l'antica e la moderna, in quella notte, ha osservato qualcuno, brillarono le stelle. Essa fu molto meno «medievale» di quanto c'induca a credere la pigrizia del luogo comune, per il quale medioevo vuol dire Inquisizione, roghi e nient'altro.

A esso dobbiamo geniali invenzioni tecnologiche (il mulino a vento) o l'applicazione sistematica di invenzioni anteriori, poi cadute in desuetudine (il mulino ad acqua). Gli dobbiamo la lettera di cambio, il contratto d'assicurazione, la democrazia comunale, le *summae* filosofiche, la *Chanson de Roland* e la *Divina Commedia*. E gli dobbiamo le cattedrali, l'improvvisa, impetuosa fioritura di splendide chiese, testimonianza congiunta di fede religiosa, sviluppo economico, orgoglio borghese.

Questo libro non è un trattato di storia politica né un manuale di architettura né un testo di liturgia sacra, ma un po' di tutte queste cose con in più qualcos'altro: il proposito di raccontare in forma piacevolmente divulgativa (se ci sono riuscito, lo dirà il lettore) alcuni avvenimenti di quindici città europee, attraverso le vicende della loro cattedrale o della chiesa che, pur senz'essere sede di cattedra vescovile, era e rimane la più importante del nucleo urbano. La storia della cattedrale aiuta a capire quella della città, e viceversa. Talvolta si identificano. Ciò fu possibile in un'epoca in cui la casa di Dio era anche la casa degli uomini, e la sfera del sacro e quella del profano spesso coincidevano. Oppure si contrastavano per la conquista del primato, ma non erano mai indifferenti l'una all'altra, separate, autonome. Filosofia, scienza, arte erano ancelle della fede, mistico vassallaggio del temporale allo spirituale, serenamente accettato da un'umanità che si considerava «di passaggio» su questa terra. E quanto più il ricorrente flagello delle pestilenze o delle carestie le ricordava il doloroso limite umano, tanto più essa si aggrappava alla trascendenza, alla consolatrice speranza di un al-di-là che avrebbe risarcito, al mille per uno, i patimenti dell'al-di-qua. Così il cielo divenne più vicino alla terra. Con l'età moderna s'imposero altre filosofie, altri valori e la distanza fra cielo e terra aumentò. Intendiamoci, si costruirono ancora chiese e cattedrali, ma non così belle, non con lo stesso, corale entusiasmo.

Disposti in ordine alfabetico, i quindici capitoli che seguono sono il frutto d'una inchiesta giornalistica attraverso l'Europa, rielaborata e approfondita con lunghe e rilassanti soste in archivi e biblioteche. Dico rilassanti perché, se mi è consentita una confessione, preferisco, per antica pigrizia, viaggiare nella storia che nella geografia. Parola d'autore: questo libro, che contiene la mia personale visione del medioevo, è stato fonte d'un sottile divertimento intellettuale. Mi auguro che il lettore provi, nel leggerlo, lo stesso piacere che ho provato io nello scriverlo. Qualora s'annoiasse, mi scuso anticipatamente, dicendo col Manzoni «che non s'è fatto apposta».

◊

# Un pirata in San Petronio

◊

Imprigionava i re e liberava gli schiavi, chiudeva le porte in faccia agl'imperatori e le spalancava agli studenti. Aveva centottanta torri così fitte che quasi si toccavano, ottantotto chiese, migliaia di alunni che accorrevano da ogni parte d'Italia e d'Europa a imparare il diritto, pagandosi di tasca i professori: questa la florida e orgogliosa Bologna del XII e XIII secolo.

Nel 1132 l'imperatore Lotario II che voleva entrare in città fu costretto ad accamparsi a rispettosa distanza, a Medicina. Nel 1249, alla Fossalta, i bolognesi catturarono il venticinquenne Enzo, re di Sardegna, figlio di Federico II, e lo chiusero in una torre donde sarebbe uscito soltanto per il proprio funerale.

A nulla valsero le suppliche del potentissimo padre, alternate alla minaccia di fare a Bologna ciò che il Barbarossa aveva fatto a Milano. Rispose il comune, per bocca di Rolandino dei Passeggeri (vedere l'effigie in san Petronio, cappella della santa Croce): «La tua maestà non speri di spaventarci con le parole grosse, noi non siamo canne di palude che basta un soffio di vento a scuotere. Re Enzo ci appartiene. Vieni e vedrai che sapremo impugnare le armi e batterci come leoni».

Durante la prigionia Enzo fu trattato coi riguardi dovuti al rango, una tavola emilianamente ricca di vivande, la compagnia d'intellettuali e una relativa libertà di movimento che gli permise d'avere un figlio da una contadina, cui il regale detenuto sospirava: «Ben ti volo». Nacque così, dice la tradizione, la famiglia Bentivoglio. Sette anni dopo Fossalta, Bologna riportò un'altra vittoria, sopra l'ingiustizia della schiavitù, che a dodici secoli dalla nascita di Cristo ancora si praticava nelle campagne. Primo comune in Italia, riscattò tutti i servi del contado, cinquemilaottocentosette divisi fra quattrocentotré signori, versando come indennizzo dieci lire per ogni servo maggiore di quattordici anni, otto per i minori.

Questo stesso amore di libertà fece sorgere, alla fine del secolo successivo, la chiesa di san Petronio, che non nacque cattedrale, chiesa vescovile alla stregua delle altre pullulanti in Toscana e Lombardia, bensì tempio civico, chiesa del comune, non priva di sottintesi politici. Antico patrono della città e titolare della cattedrale, iniziata nel 1019, era Pietro apostolo, un santo troppo legato a Roma e alla sede apostolica, dei cui possedimenti Bologna faceva parte senza troppo entusiasmo. Per controbilanciare il santo della cattedrale, fu designato patrono civico e statale san Petronio, greco di origine e bolognese d'adozione.

Discendente di Costantino, cognato dell'imperatore Teodosio II, era stato inviato da lui in missione diplomatica a Roma, e appena il papa lo vide lo creò capo della diocesi bolognese, perché ispirato da una visione celeste che indicava lui come il vescovo giusto nella città giusta. A Bologna Petronio si mise subito al lavoro, costruì chiese senza dimenticare le case, ottenne dal cognato la giurisdizione della città sul contado, portò dalla Terrasanta le reliquie di cinque bambini assassinati da Erode, la ciotola che aveva battezzato il Battista, i sandali di Gesù e un po' di manna del deserto, conservata nei miracolosi frigoriferi della fede. Ma c'è di più, prosegue la leggenda: Petronio, con profetica intuizione, convinse l'imperatore a istituire lo Studio, futura gloria della città. Dove trovare un santo più bolognese?

Perciò il 20 ottobre 1388 il consiglio generale dei Seicento (formalmente il comune dipendeva dal papa, praticamente godeva larga autonomia) deliberò: «Desiderando perpetuare, con l'aiuto di Dio, lo stato popolare e di felicissima libertà di quest'alma città di Bologna, affinché a noi e ai nostri figli sia risparmiato il deprecabile giogo della servitù che più amaro sarebbe dopo aver gustato la florida libertà che Dio ci ha dato, e stimando che ciò potrà avverarsi non per i meriti degli uomini ma per la misericordia di Dio e l'intercessione dei celesti protettori della città, affinché il protettore e difensore di questa città e popolo, san Petronio, interceda a protezione, difesa, conservazione e perpetuazione della libertà e stato popolare, stabiliamo che i venerabili Signori del Collegio, ai quali principalmente spetta vigilare alla conservazione e all'aumento dello stato popolare, facciano edificare una bellissima e onorevole chiesa sotto il titolo di san Petronio, in quel luogo della città che sarà designato, in modo però che la fronte della chiesa si affacci sulla piazza della nostra città».

Da notare in quest'atto pubblico il titolo specifico di «protettore» attribuito a Petronio, qualifica precedentemente riservata a Pietro. Ma anche i santi protettori *habent sua fata* e, della «concorrenza» che il primo faceva al secondo, s'era avuta prova qualche anno prima, nel 1380, quando furono coniati contemporaneamente il bolognino d'oro, con l'effigie di san Pietro, e un grosso d'argento, con quella di san Petronio benedicente, ornato di mitra e pastorale.

Da tempo immemorabile tutte le chiese erano orientate, per mistica consuetudine, nel senso est-ovest, in modo che il prete celebrando la messa avesse la faccia rivolta verso Gerusalemme, la città santa. Orbene, nella piazza centrale di Bologna l'unico lato disponibile era il lato sud. Su quello nord sorgeva il palazzo del podestà, a ovest quello del comune, a est ospedali e opere pie. Se si voleva fare la chiesa con la fronte sulla piazza, bisognava per forza orientarla in direzione nord-sud, non ortodossa dal punto di vista liturgico, ma vantaggiosa da quello astronomico. Difatti san Petronio è una delle poche chiese illuminate dal sole in tutto l'arco della giornata.

L'incarico di edificarla fu dato ad Antonio di Vincenzo («muratore» si legge nei documenti) che andò più volte a Milano e a Firenze per farsi un'idea delle due cattedrali in costruzione, la milanese da due anni, la fiorentina da quasi un secolo. I bolognesi volevano una chiesa grande, la più grande della cristianità. Il primo progetto, ambiziosissimo, prevedeva centottantatré metri di lunghezza e centotrentasette di larghezza, poi non s'accontentarono neanche di queste colossali misure e le portarono (sempre nei modelli-ni) a duecentoventiquattro e centocinquanta. Con questo tempio di dimensioni faraoniche (si pensi che il duomo di Milano è lungo centocinquantasette metri, san Pietro centottantasei), Bologna, seconda città dello Stato pontificio, avrebbe scalzato il primato architettonico di Roma.

Per lo stile, si prese a modello il gotico di santa Maria del Fiore, ammorbidito dall'impiego d'un materiale «caldo», il mattone. Bologna non aveva cave di pietra da taglio, non disponeva dei marmi di Candoglia come Milano, o toscani come Firenze, la sua tradizione artigiana era legata al cotto, e furono proprio le lesene rosse, i pilastri di cotto infiammati dal sole che entra copioso dai finestroni a temperare la verticalità del gotico, ieratica nel duomo di Milano, chiara fredda e razionale nella pietra grigia della cattedrale fiorentina, luminosamente sensuale in san Petronio. Il mattino del 7 giugno 1390 il clero e i magistrati della città usciti in processione posero la prima pietra, benedetta dal vescovo Bartolomeo. Sulla pietra era scolpito lo stemma del comune.

Per finanziare i lavori si defalcò una percentuale da tutti i pagamenti fatti dall'erario, a qualsiasi titolo. Le corporazioni dei macellai e dei notai s'impegnarono a costruire due cappelle. L'avanzata della chiesa demolì alcune chiesette di scarsa importanza, assorbendone le rendite. I lavori procedevano con ritmo soddisfacente, quando arrivò un cardinale a bloccarli. Non per divergenze di natura estetica, ma per fame di soldi. Era costui il napoletano Baldassarre Cossa, detto «il pirata» per il suo passato di corsaro nelle acque del Mediterraneo. «Uomo di larga coscienza», più adatto a maneggiar la spada che l'aspersorio, comprò in contanti il titolo di cardinale e andò come legato a Bologna dove, secondo le accuse dei suoi nemici, avrebbe sedotto in un solo anno duecentoventi tra nubili, maritate, vedove e monache: una donna al giorno, dedotta la quaresima, le domeniche e le altre feste comandate.

Appena entrato in città (1403), smorzò l'entusiasmo edificatorio dei bolognesi dicendo che nella scala delle scelte prioritarie san Petronio era la meno urgente, sospese i lavori, vendette i materiali da costruzione e intascò i quattrini. Guai a chi protestava. Se uno gli dava fastidio, lo faceva arrestare, aizzandogli contro, con false accuse, il popolo sempre pronto a credere ai lupi travestiti da agnelli. Attribuendo agli altri segrete mire di potere, dissimulava le proprie e un po' alla volta ebbe in mano tutta la città. Compresa la fabbrica di san Petronio sulla quale, durante il suo cardinalato, al posto dei muratori lavorarono i ragni.

In quegli anni un interminabile scisma, detto d'Occidente, travagliava la cristianità, c'era un papa a Roma e uno ad Avignone, ciascuno con i suoi preti, i suoi riti, messe romane contro messe avignonesi. Per sanare la dolorosa frattura, si riunì un concilio a Pisa (1409) che depose Gregorio XII e Benedetto XIII e nominò Alessandro V, ma i detronizzati negarono la validità del concilio, così invece di due papi se ne ebbero tre. L'ultimo arrivato non campò a lungo, morì l'anno dopo, sembra di veleno propinatogli dal Cossa, il quale, lavorando di simonia, prese il suo posto col nome di Giovanni XXIII. Per foraggiare il fitto stuolo di amici, favoriti, postulanti e intriganti nella corte di Bologna, sede del terzo papa, *ex aequo* con Roma e Avignone, il Cossa dilapidò i soldi della fabbrica di san Petronio, senza sospettare che di questo reato, assieme a molti altri, sarebbe stato di lì a poco chiamato a rispondere davanti a un secondo concilio.

Promotore dell'assise ecumenica convocata nel 1414 a Costanza fu l'imperatore Sigismondo, salito al trono già da quattro anni ma non ancora incoronato a Roma perché, con tutti quei papi e antipapi, non sapeva più quale fosse quello buono. Nelle intenzioni dell'imperatore il concilio avrebbe dovuto por fine allo scisma, anche perché nella città tedesca Giovanni XXIII godeva scarse simpatie. Difatti appena vide il lago il papa-corsaro esclamò: «Così si pigliano le lepri». Fra le reti tese attorno a lui c'era un libello anonimo, fatto circolare tra i padri conciliari, denso di accuse infamanti, a confronto delle quali le ruberie ai danni di san Petronio erano soavi fioretti per il mese di maggio. Le imputazioni, inizialmente settantadue, poi ridotte a cinquantaquattro, parlavano di simonia, fornicazione, adulterio, incesto, sodomia, negazione dell'esistenza dell'anima, avvelenamento di Alessandro V, tutte «pubblicamente notorie».

Non sentendosi più sicuro, Giovanni XXIII decise di fuggire da Costanza. Se manco io, pensava, il concilio non è più valido. Per distrarre l'attenzione dei padri conciliari, organizzò uno spettacolare torneo fuori città e nella notte fra il 20 e il 21 maggio 1415 scappò su un ronzino, vestito da stalliere. Fu immediatamente lanciato l'identikit: «cercare un uomo forestiero e non tedesco, pingue, vestito da prete o da laico». Il concilio, considerandosi superiore al papa, lo depose condannandolo in contumacia «come simoniaco, dissipatore dei beni ecclesiastici, amministratore infedele della chiesa tanto nello spirituale quanto nel temporale». Giovanni XXIII riparò presso l'amico Federico, duca del Tirolo, fu catturato, poi perdonato dal nuovo papa. A questo torbido personaggio, il cui nome fu santamente riscattato dopo cinque secoli da Angelo Roncalli, Donatello dedicò (sublimi ingiustizie dell'arte) un monumento funebre nel battistero di Firenze. Pensava forse a lui Giovanni da Modena quando, affrescata nella cappella Bolognini in san Petronio, sopra il finestrone, l'elezione di Giovanni XXIII, dipinse nella parete sinistra un realistico inferno con papi, cardinali, re e prelati condannati alle pene più crude, tra i lussuriosi infilzati nello spiedo, gl'invidiosi bersagliati da frecce e gli avari costretti a ingoiare, con la testa arrovesciata, una colata d'oro fuso?

Nel 1425 fu chiamato Jacopo della Quercia a decorare la porta centrale. Negli stessi anni in cui ferree leggi moralistiche frenavano il lusso e nessuna donna poteva avere più di due vesti di seta e più di tre anelli al dito, e una commissione di frati supervisori timbrava le gonne perché non superassero in ampiezza e ornamenti i limiti stabiliti dal governo, Bologna ingaggiava uno dei più grandi scultori dell'epoca, già impegnato nel battistero di Siena. Per san Petronio non si badava a spese. Prezzo pattuito, tremilaseicento fiorini, con pagamenti mensili, per ventisei figure di profeti, da eseguire in due anni, a partire dal giorno in cui fossero pronti i marmi che Jacopo aveva il compito di procurarsi a Verona e Venezia.

Conteso a suon di fiorini tra Bologna e Siena, lo scultore faceva il pendolare, ricorrendo talvolta al certificato medico. A quei tempi si gareggiava nell'accaparrarsi i migliori artisti, come oggi i migliori calciatori, essi avevano soltanto l'imbarazzo della scelta, fissavano loro il «premio d'ingaggio», prendere o lasciare. Li chiamavano artigiani, più che artisti, ciò non significa che vivessero da proletari. Per la decorazione della Sistina Michelangelo ricevette seimila ducati. Gli spostamenti di questi artisti, il ripudio d'un committente o la lite con un mecenate suscitavano in tutti gli strati dell'opinione pubblica polemiche, apprensioni, pettegolezzi come oggi il licenziamento d'un allenatore di calcio.

Jacopo si mise al lavoro segnando scrupolosamente le spese di viaggio: «cinque soldi per barca a andar cerchando marmo». Spese di trasporto: «per sette facchini che hanno trasportato uno stipite alla porta soldi sette; per due facchini che l'hanno alzato con l'argano soldi tre». Esigeva la massima puntualità nei pagamenti e quando seppe che ad alcuni collaboratori si lesinavano i compensi, minacciò di piantar tutto e tornarsene per sempre a Siena. Per fronteggiare le crescenti spese il comune assegnò alla fabbrica le entrate del dazio sulla frutta e chiese a papa Martino V, successore di Giovanni XXIII, il permesso di abbattere altre quattro chiesette, santa Maria Rotonda, san Gemignano, san Cristoforo, santa Maria dei Bulgari, e assorbirne le rendite. Martino acconsentì, per risarcire parzialmente i danni fatti dal precedessore. Ciò tuttavia non aumentò la popolarità di papa Martino, colpevole di aver mandato a Bologna un legato, a esercitare di fatto quella sovranità che fino allora la Chiesa aveva soltanto di nome. E quando giunse la notizia della sua morte, un cronista scrisse che causò «alegreza ghrande».

A mano a mano che la curia romana riduceva il margine di autonomia, cresceva in Bologna l'insofferenza verso il potere centrale, con una venatura di anticlericalismo, e san Petronio acquistava sempre più spiccato il carattere di chiesa civica, ultimo rifugio del nazionalismo municipale (per lo stesso gioco dei contrari germoglieranno nel Veneto, sottomesso a una repubblica allergica alle ingerenze pontificie come la Serenissima, sentimenti clericali e ardori papalini). Giulio II fu addirittura «destalinizzato». Nel 1506, debellata la fazione dei Bentivoglio, aveva deliberato di eternare il suo ingresso in città collocando sulla facciata di san Petronio una statua di bronzo che, data la possente personalità del pontefice, non poteva essere fatta che dal più possente artista dell'epoca, Michelangelo.

Fra i due c'era stato, a causa degli affreschi della Sistina, un aspro litigio, non si vedevano e non si parlavano da tempo, ma Giulio II, soffocando l'orgoglio non inferiore a quello dell'artista toscano, lo mandò a chiamare:

«Spettava a te venire a cercarci, ma tu hai aspettato che noi venissimo a trovar te», disse ingoiando il rospo per il bene supremo dell'arte, e della sua fama nei secoli. Michelangelo si scusò, incolpando il suo irascibile sistema nervoso. Elefante in cristalleria, intervenne il cardinal Francesco Soderini:

«Vostra Santità non dia troppo peso. Michelangelo è un uomo senza educazione, gli artisti poco sanno comportarsi quando non si tratti della loro arte, e non valgono in altro.»

«L'ignorante sei tu» lo fulminò il papa, «che dici villanie. Sparisci dal mio cospetto e vai in malora.» Poi passò a illustrare i particolari della statua, che voleva alta sette braccia.

«Costerà mille ducati» obiettò l'artista facendo un calcolo approssimativo, «ma l'arte di gittare in bronzo non è affar mio, quindi non posso prendere impegni precisi.»

«La gitteremo tante volte quante sarà necessario, non preoccuparti, ti daremo quanti soldi avrai bisogno.»

Il 21 febbraio 1508 la statua fu issata nella nicchia scavata sopra il portale maggiore. Più del cardinal legato in carne e ossa, incuteva paura quel maestoso pontefice di bronzo, grande tre volte il naturale, seduto con le chiavi in una mano, l'altra alzata verso il cielo.

«Sta per benedire o per maledire?» domandò Giulio II.

«Essa minaccia questo popolo, se non mette giudizio» rispose Michelangelo.

Tre anni più tardi il pontefice di bronzo rotolava nella polvere, defenestrato dal partito dei Bentivoglio, che aveva preso il sopravvento. Tra i motivi d'irritazione c'era anche il fatto che il papa aveva collocato la sua statua troppo in alto, addirittura sopra quella della Madonna che regge il Bambino nella lunetta del portale. Perciò i bolognesi, lanciato un *lazo* come i cowboy, tirarono giù il colosso che pesava cinquanta quintali. A nulla servì il materasso di fascine steso sul sagrato ad attutire il colpo, la statua finì a pezzi, la testa andò perduta, i rottami furono dal duca di Ferrara Alfonso d'Este, pioniere dell'artiglieria, fusi in una bombarda, chiamata per dileggio «la Giulia».

Quando venne Carlo V per l'incoronazione, san Petronio fece le veci della basilica romana di san Pietro. Fu scelta Bologna perché l'imperatore desiderava non allontanarsi troppo dalla Germania. E fors'anche per motivi di opportunità politica. A Roma non era consigliabile che l'imperatore si facesse vedere, non erano passati neanche tre anni dall'orrendo saccheggio consumato dai suoi lanzichenecchi. Come poteva Carlo V cingere la corona imperiale nella basilica di san Pietro che i suoi soldati avevano trasformato in stalla? Le infamie commesse dalle sue truppe erano ancora dolorosamente vive nel lutto dei superstiti, nelle carni dei prigionieri mutilati, nella vergogna delle donne violentate, nella disperazione dei cittadini derubati d'ogni avere. Nessuno ha mai fatto il conto esatto dei preti uccisi, o mozzati nel naso, dalla soldataglia che proclamò, in san Pietro, Martin Lutero papa; delle suore strappate ai conventi e condotte nelle case di malaffare o vendute schiave; dei cittadini incatenati e lasciati morire di fame, non possedendo il denaro per ricomprare la libertà. Un cardinale ammalato fu messo nella bara, portato in chiesa dove gli cantarono la parodia delle esequie, minacciandolo di seppellirlo vivo se non sborsava un lauto riscatto. Soldati ubriachi gettarono bambini dalle finestre, anticipando di quattro secoli le gesta delle SS tedesche. Un asino fu vestito da vescovo, portato in chiesa, fu ordinato a un prete di dargli la comunione, si rifiutò, fu ucciso sul posto. Per sottrarre le figlie agli stupri, alcuni genitori preferirono ucciderle di loro mano. Prescelta per l'incoronazione l'altra grande città dello Stato pontificio, Bologna divenne per qualche mese la capitale del mondo, accogliendo nella sua chiesa, che sarebbe diventata la più grande del mondo, il capo dei cristiani di tutto il mondo e il monarca sul cui impero non tramontava mai il sole. Clemente arrivò il 24 ottobre 1529, per la via di Cesena, e portato sulla sedia gestatoria entrò in san Petronio sotto un festone di veli, scortato da sedici cardinali e un numero imprecisato di arcivescovi, vescovi, magistrati civili e da una folla che non deve essere stata oceanica, se alla vigilia fu pubblicato un bando che minacciava pene pecuniarie a chi si fosse fatto vedere in giro senza l'abito buono e col muso duro.

Carlo arrivò il 4 novembre a Borgo Panigale e il 5 entrò in Bologna, salutato da una messinscena decorativa, archi e stucchi e cartapesta. Alle tre del pomeriggio spuntò il corteo imperiale: lancieri a cavallo, le artiglierie, lo stendardo con l'aquila bicipite, la bandiera di san Giorgio, indi i grandi di Spagna e l'imperatore imballato in un'armatura d'oro, ondeggiante su un candido destriero, all'ombra d'un baldacchino retto dai notabili della città, pronipoti di quei bolognesi che avevano inflitto l'ergastolo al figlio d'un imperatore.

La grande cerimonia avvenne dopo qualche mese, il 24 febbraio 1530. San Petronio non era ancora grande come san Pietro, ma fu trasformata e addobbata in modo da assomigliarle il più possibile. Allo storico evento partecipò tutto il Gotha del sangue, del censo e della cultura; la corte pontificia, il senato accademico, una cinquantina di cardinali e vescovi che dalla piazza scesero nel tempio attraverso una passerella di legno costruita appositamente, poi sfilarono i valletti, i maggiordomi dell'imperatore, i nobili scaglionati secondo le inviolabili precedenze del protocollo, i privilegiati ammessi alla stanza dei bottoni feudali, gli uomini d'arme e di gloria, insomma i *bellatores* (guerrieri) che assieme agli *oratores* (preti e frati) e ai *laboratores* (non occorre tradurre) formavano le tre classi, il tessuto sociale del morente medioevo europeo.

Appena Carlo scese dalla passerella, l'impalcatura crollò sulla folla, ci furono dei feriti, ma la cerimonia non subì variazioni. Ritiratosi nella prima cappella di sinistra, detta di sant'Abbondio, l'imperatore indossò le vesti di rito, il cardinal Farnese lo unse con l'olio consacrato sulle spalle e sotto le ascelle, poi Carlo si recò all'altar maggiore dove Clemente gli porse la spada, lo scettro, il globo e gli infilò la corona sul capo, esclamando: «Prendi il segno della gloria». Gli *oratores* intonarono inni, i *bellatores* s'irrigidirono nel marziale luccichio delle corazze, i *laboratores* applaudirono. Terminata la cerimonia nel tempio, papa e imperatore fecero per le vie della città la famosa gran cavalcata, in trionfale corteo. Chi c'era? La presenza di un pittore-cronista, Domenico Riccio detto il Brusasorci che affrescò l'evento a Palazzo Ridolfi-da Lisca di Verona, sua città natale, ci consente di rispondere con esattezza a questo interrogativo.

Aprivano il corteo i gonfalonieri e gli alfieri di Bologna recanti le insegne popolari della città, seguivano il podestà in toga di broccato d'oro, il gonfaloniere di giustizia conte Angelo Ranuzzi col vessillo di Bologna, il conte Giulio Cesarini col vessillo del popolo romano, il conte Ludovico dei Rangoni col vessillo della santa romana Chiesa, don Giovanni Manrich con l'aquila imperiale, Alessandro dei Medici col vessillo gentilizio del pontefice. Quattro camerieri d'onore in cappa portavano, issati su verghe rosse, quattro cappelli pontificali a larghe tese; dietro a loro, quattro trombettieri sonavano sottili trombe a forma serpentina sventolanti uno stendardo con l'aquila imperiale. Il suddiacono pontificio Giovanni Alberino, in rocchetto, piviale e cappello azzurro, reggeva la triplice croce pontificia, due chierici due lanterne in asta con dentro candele ardenti, un terzo chierico il triregno.

Un fiammeggiante stuolo di torce adesso annuncia l'arrivo d'un baldacchino a quattro aste, rette con due mani da nobili bolognesi a piedi, in abiti solenni, e sotto il baldacchino un palafreniere in sopravveste rossa guida, a mano, una chinea grigia coperta di broccato d'oro, che porta, racchiuso in una preziosa custodia, il Santissimo Sacramento. A pochi passi, in rocchetto, piviale e a capo scoperto, monsignor Gabriele arcivescovo di Durazzo, sagrista di Sua Santità, cui è affidata la custodia del Sacramento. E ancora: il conte Adriano d'Asford, maggiordomo dell'imperatore e altri cortigiani, seguiti da un mazziere che distribuisce al popolo monete d'oro e d'argento.

L'alternanza di rappresentanze «spirituali» e «temporali» continua con il Sacro collegio dei cardinali, in cappa magna e cappello pontificale, tallonato da quattro grandi feudatari che portano le insegne imperiali, e precisamente: Bonifazio marchese di Monferrato (veste di velluto cremisino, bavero d'ermellino con code) lo scettro imperiale; Francesco Maria della Rovere, duca d'Urbino (in abito di prefetto di Roma) la spada imperiale; Carlo III, duca di Savoia (manto e corona ducali) la corona di re dei romani; Filippo dei duchi di Baviera, elettore del Sacro romano impero (manto e corona ducali) il globo imperiale.

Un breve intervallo di gente a piedi, guardie armate di alabarde con brache a sbuffo sotto le ginocchia, e finalmente la scena-madre del fastoso corteo, l'augusto baldacchino sorretto dai senatori bolognesi, sotto il quale papa Clemente VII, indossando il triregno, cavalca un cavallo bianco, alla destra di Carlo V pure a cavallo, con in testa la corona imperiale guizzante di gemme. Dietro a loro, Enrico di Nassau con l'insegna del Toson d'oro sul petto, arcivescovi, vescovi, prelati di vario rango e provenienza, trombettieri, timpanisti, e ancora marchesi, conti, baroni, compagnie di soldati a cavallo, borgognoni, spagnoli, tedeschi, guidati dai loro capitani e ultimo, circondato dai suoi ufficiali e scortato dalle artiglierie, il capitano generale don Antonio de Leyva, difensore di Pavia all'omonima battaglia, portato su una sedia coperta di velluto cremisino, da servi in livrea. Il generale non può muoversi: ha la gotta.

Commosso per la trionfale e forse inattesa accoglienza, Carlo, che in quel giorno compiva trent'anni, promise che avrebbe donato una cappella a san Petronio. Tornato in Spagna, se ne dimenticò.

Fu questa l'ultima cerimonia di grandeur medievale, che tuttavia sanciva per l'Italia un'amara realtà. L'accordo tra papa e imperatore significava il passaggio della penisola sotto il controllo spagnolo. Addio libertà. Addio allargamento di san Petronio, chiesa della libertà. All'inizio del Cinquecento Arduino Arriguzzi, architetto della Fabbrica, aveva redatto un progetto per il quale, come accennato, san Petronio avrebbe battuto ogni primato, arrivando a duecentoventiquattro metri di lunghezza e centocinquanta di larghezza. Ma le mutate condizioni politiche e l'enorme spesa lo fecero accantonare. Alla metà del XVI secolo Bologna non è più una *polis* animata dall'antico orgoglio civico, gratificato da due superbe leggende, quella religiosa di san Petronio e quella laica di re Enzo, ma è una città qualsiasi nell'interno dello Stato pontificio, e l'Italia una provincia qualsiasi nell'immenso impero asburgico. Perduto lo slancio municipalistico e la fede nei propri destini, Bologna rinunciò all'ambizioso progetto, accontentandosi d'un san Petronio in formato ridotto, l'attuale appunto, metri centotrentadue per sessanta (ma pur così ridimensionata, resta per ampiezza la sesta chiesa della cristianità e la quarta in Italia).

Fu una rinuncia non sterile, che avvantaggiò l'università. Bisognava infatti costruire una sede per lo Studio, dare aule decorose ai professori che fino allora tenevano lezione in casa propria, o in luoghi di fortuna. Gli studenti davano gli esami nelle chiese, specialmente in quella di san Pietro, per la medicina si andava a san Salvatore. Le lezioni duravano da ottobre ad agosto, annunciate da una campana chiamata «la scolara». D'accordo con Roma, il vicelegato Pier Donato Cesi scelse un'area sul fianco sinistro di san Petronio, là dove sarebbe dovuto sorgere il gigantesco, chimerico transetto. Nacque così l'Archiginnasio (1562). Il senato protestò, ma sottovoce; i tempi erano cambiati e i bolognesi lo sapevano benissimo.

Si insinuò, con poca convinzione, che il papa avesse voluto bloccare, mediante l'Archiginnasio, l'allargamento di san Petronio affinché non superasse in grandezza la basilica vaticana, pupilla degli occhi suoi. Questa predilezione, ammesso che fosse vera, non sarebbe stata ingiustificata. Si amano le cose che costano di più, e nessuna chiesa era costata quanto quella di san Pietro: la perdita di mezza Europa, a causa delle indulgenze vendute in cambio di mattoni, da cui prese avvio la riforma protestante.

Incompleta la chiesa, incompleta la facciata. Nel Cinquecento si pensò di rivestirla di marmo, ma lavorare in gotico, in quel secolo, era difficile, e oltretutto sarebbe stato un falso. Furono interpellati il Vignola, il Peruzzi, Giulio Romano, Andrea Palladio, il quale propose di farla in puro stile rinascimentale. Discussioni e polemiche a non finire. E non se ne fece nulla, tranne un parziale rivestimento eseguito da Domenico di Varignana (1538) in aggiunta al bel basamento marmoreo. Fra i molti *Te Deum* cantati nella chiesa, quello per il completamento della fabbrica non fu cantato mai. In compenso, se ne intonarono per motivi politici. Nel 1796, sull'onda della Rivoluzione francese, piantato in piazza l'Albero della libertà, i bolognesi votarono in san Petronio la prima costituzione democratica e cantarono il *Te Deum*. I più accesi giacobini fecero circolare un parodistico *Credo* aggiornato al nuovo corso che diceva: «Credo nel popolo francese onnipotente, stupore del cielo e della terra; ed in Bonaparte suo figliolo eroico Redentor nostro; il quale fu animato da vero spirito patriottico, benché nato realista e sotto l'infame Capeto, ch'ei vide ghigliottinato, morto, seppellito e disceso all'inferno. Il terzo anno dopo, diede la libertà all'Italia, salì in trionfo alla destra del Direttorio, Padre onnipotente. Di là ha da venire a giudicare i moderati e i tiranni. Credo nella santa madre repubblica sovrana democratica francese, nella libertà dei suoi figli, nella eguaglianza delle persone, nell'invincibilità dei patrioti, nella sovranità eterna. Amen».

Contemporaneamente circolava a Venezia un'opposta parodia: «Io credo che Bonaparte sia nemico del cielo, distruggitore della terra, unico traditor nostro, il quale fu concepito da spirito maligno, nacque da donna adultera, innalzato a capitano generale scese in Italia, il terzo dì salì nella superbia ladra, infine giudicato da Dio onnipotente alla presenza dei vivi e dei morti. Credo nello Spirito Santo che veglierà per la Chiesa cattolica, rimetterà le dissensioni in Francia, benedirà le armi austriache, darà ai buoni la resurrezione della carne e ai nefandi giacobini la morte eterna. Amen».

Tre anni più tardi, escono da Bologna i francesi, arrivano gli austriaci, e i reazionari corrono in san Petronio a cantare un *Te Deum*, di musica eguale e di segno contrario. Persiste, ereditata dal medioevo, la presunzione partigiana di arruolare Dio sotto le proprie bandiere, e l'indelicatezza di costringerlo a scegliere tra due eserciti egualmente battezzati. Rivoluzione e reazione, come i comuni durante le lotte municipali, si contendono la protezione celeste. Il frate patriota Ugo Bassi, futuro garibaldino, predica in san Petronio: «Benedetta l'Italia, benedetto colui che la benedice. Chi la maledice, sia maledetto». Poco dopo, svanita a Custoza l'illusione romantica del 1848, Pio IX benedice in piazza san Petronio le truppe austriache e per rabbonire la cittadinanza destina settantacinquemila ducati alla facciata, sempre incompleta.

Nel maggio 1860, altro *Te Deum* per l'ingresso di Vittorio Emanuele II. In san Petronio, ovviamente; i preti delle altre chiese si sarebbero rifiutati, non si poteva chiedere alla Santa Sede di ringraziare, attraverso il suo clero, il buon Dio d'essere stata spogliata delle proprie terre. Sarebbe stata una pretesa eccessiva. Ma in san Petronio, chiesa di proprietà comunale, non cattedrale, la cerimonia fu possibile perché non dipendeva dalla curia, bastava trovare un prete di idee liberali disposto a cantare un *Te Deum* di musica eguale e di segno contrario a quelli precedentemente cantati pro Austria.

Annessa la città al Piemonte, si tornò a parlare della facciata, si bandì un concorso per completarla, ma anche questa volta non se ne fece nulla. Carducci si schierò per lo *status quo*, dicendo che gli uomini del XIX secolo non potevano mettersi nei panni, estetici e ideologici, di quelli del XIV. La facciata non si tocca, tuonò il cantore di Satana. Nel 1935-37, altro concorso che lasciava ai progettisti massima libertà, purché rispettassero il portale del della Quercia, interrotto nel 1438 per la morte dell'artista, e il basamento. Ancora un nulla di fatto. E fu un bene, dicono i bolognesi.

Quell'immensa fronte scabra e scura, coi mattoni sporgenti per sorreggere i marmi che mai non vennero, resta un'opera aperta, un romanzo cui ciascuno dà l'epilogo e il significato che preferisce. In questa chiesa, ha scritto Giuseppe Raimondi «convenivano nottetempo, o in albe livide, i capi di fazioni, i rampolli della torbida nobiltà medievale, a chiedere consiglio agli impassibili canonici di curia. E ancora, osservando bene intorno, si coglie qualcosa qui dentro, come la traccia e l'odore delle famiglie di artigiani: lanieri, drappieri, setaioli e conciapelli, le cui vesti e le grosse mani appoggiate alle ringhiere delle cappelle spandevano l'acre odore dei mestieri... Tanto vasta, nella sua profondità e oscurità diurna, da immaginarvi, ben disposti in qualche parte, cataste di canapa da lavoro e sacchi ammonticchiati di grano verde».

La facciata di san Petronio sembra un campo arato e i ruvidi solchi dei mattoni sporgenti hanno il colore delle zolle emiliane, appena ribaltate dal vomere.

◊

# Penitenti fra le stanghe
# al posto dei cavalli

◊

Sull'autostrada proveniente da Parigi, a una decina di chilometri da Chartres, spunta in fondo a una distesa dorata di grano maturo la sagoma della cattedrale, con le due torri acuminate: due spighe un po' più lunghe delle altre. Entrati in città, ci si accorge che Chartres e la cattedrale formano un tutto unico, mistico prima ancora che urbanistico, case e chiesa respirano insieme, le une attaccate all'altra perché gli uomini che le costruirono erano molto attaccati a Dio; qui si passeggia in pieno Duecento, in attesa d'una sacra rappresentazione, dove le torri e i portali gotici sbucano improvvisamente dietro una curva sbilenca, o in fondo al cannocchiale d'un vicolo, circondati da bar e negozi, da botteghe artigiane inginocchiate sotto il peso obliquo dei tetti color grigio topo, gli abbaini con le tendine bianche merlettate, i muri grezzi, ferrigni, che odorano di santa muffa medievale. Scenografia da gran maestro. Basta chiudere gli occhi, per vedere rinascere nel barista il taverniere, nel gommista il maniscalco, nel bancario il cambiatore, nel farmacista lo speziale, corporazioni di mestiere che sulla fine del XII secolo costruirono, assieme ai nobili e ai popolani, a novanta chilometri da Parigi, quella che Auguste Rodin chiamò «l'acropoli di Francia» e lo storico dell'arte Emile Mâle «il pensiero stesso del medioevo diventato visibile».

Prima di cominciare il lavoro, si contarono. Chartres aveva diecimila abitanti (qualcuno dice di meno) e vollero una chiesa capace di contenerli tutti. Se chiesa deriva dal greco *ecclesìa*, assemblea, non v'è ragione perché dall'assemblea restino esclusi alcuni membri. I costruttori ragionarono come gli odierni architetti quando progettano uno stadio, tutti i tifosi devono trovarvi posto.

I «tifosi di Dio» si misero al lavoro nel 1194, una trentina d'anni dopo che era cominciata Notre-Dame di Parigi. Non era la prima volta che Chartres edificava, in quel posto, una chiesa. Fin dai primi tempi della cristianità si venerava in una cripta una statua, detta della Vergine Nera, scolpita su legno di pero, con un bambino in grembo, meta di pellegrinaggi dalle più lontane regioni. Secondo la tradizione, essa aveva origini precristiane. Un angelo avrebbe annunciato ai druidi, molto prima della nascita di Cristo, che una vergine avrebbe dato alla luce un bambino, e i druidi avevano scolpito questa statua, collocandola in una grotta, sotto terra, con la dedica *Virgini pariturae*, alla Vergine che partorirà.

Sopra questa grotta, al tempo degli apostoli, il vescovo Aventino costruì una chiesa, poi distrutta da un governatore romano che sgozzò e gettò in un pozzo tutti i cristiani renitenti all'abiura. Ricostruita da un prelato di nome Castoro, fu poi parzialmente bruciata nell'VIII secolo da Unaldo, duca d'Aquitania. Raggiustata, fu nuovamente incendiata dai normanni nel IX secolo, il vescovo Gislebert cercò di ripararla, ma poi fu definitivamente distrutta da Riccardo, duca di Normandia, che assediò e saccheggiò la città. Nuova resurrezione, a cura del vescovo Vulphard; nuovo incendio, per cause imprecisate, nel settembre 1020.

Il restauratore di turno, che era il santo vescovo Fulberto, anziché perdersi d'animo, volle sfidare la violenza del fuoco e degli uomini erigendo un tempio di dimensioni maggiori, corrispondente alla cripta attuale. Non durò molto. Nel 1194 fu bruciato da un fulmine (allora si costruiva tutto in legno, materiale prezioso oltre che infiammabile e un architetto della cattedrale di Tréguier voleva addirittura impiccarsi, per il dolore di aver tagliato le travi troppo corte). Si salvarono soltanto i due campanili e la cripta. L'ultima chiesa, quella che noi ammiriamo, fu eretta sotto Filippo Augusto, il monarca che sconfiggendo a Bouvines (1214) Ottone di Brunswick segnò una delle date fondamentali dell'unità nazionale francese. Il re vi contribuì con duecento lire del suo patrimonio personale. La chiesa fu consacrata il 17 ottobre 1260: Tommaso d'Aquino ha trentacinque anni, Alberto Magno naviga verso la settantina.

Ma non è finita la storia di questa fenice che puntualmente risorge dalle proprie ceneri. Nel 1506, violento temporale con fulmini e incendio che fonde le campane, come se fossero cera. 1539, 1573, 1589: fulmini sul campanile nuovo. 1701, 1740: ancora fulmini sullo stesso bersaglio. 1825: una tempesta abbatte lo sventurato campanile, mentre in chiesa si cantano i vespri. 1836: per l'imprudenza di due stagnai addetti a riparare il tetto, divampa il fuoco che divora le travature.

Quest'ultimo incendio ha una causa precisa, la distrazione di due operai; quello del 1194 fu invece attribuito a un castigo divino, per l'uso troppo disinvolto che i fedeli facevano del tempio, luogo di riunioni pubbliche oltre che di pratiche pie. In chiesa non si andava soltanto per pregare. Vi si discutevano alleanze militari, si salutavano i generali vittoriosi, si conferivano lauree. Il motivo è di natura logistica: molto spesso essa era l'unico edificio in grado di contenere migliaia di persone. In alcune città sostituì il municipio, il pubblico parlamento. Là dentro si mangiava, si dormiva, si introducevano i cani. Non c'erano sedie, chi voleva star comodo si portava da casa una manciata di paglia sottobraccio.

Quella che a noi sembra irriverenza, nasceva da un rapporto di totale confidenza e abbandono in Dio, le sfere del sacro e del profano si compenetravano. Ma si faceva dell'altro, e di peggio. Nel XVII secolo i sensali londinesi trafficavano tranquillamente in san Paolo, c'erano perfino dei cambiavalute. Due secoli prima, a Strasburgo, un consigliere della municipalità si lamentò perché le processioni religiose si concludevano con orge e sbronze. Il rito del bacio della pace degenerò in bacio sulla bocca. Una quartina popolare veneziana recitava:

> *Ancuo xe sabo e me ralegro el cuore,*
> *doman xe festa e vedo lo mio amore;*
> *se no a la prima messa, a la seconda,*
> *quela cantada, che sarà più longa.*

Una poesia francese dell'epoca dice «se vado spesso in chiesa, è solo per vedere la mia bella, fresca come rosa novella». Il teologo Giovanni Gerson, cancelliere dell'università di Parigi sul finire del Trecento, si indignava perché le meretrici andavano in chiesa a contattare i clienti.

Se in chiesa si sbirciavano appena, nei pellegrinaggi gli amanti fruivano di occasioni più concrete e discrete, e quanto più distante era il santuario prescelto, tanto minori erano le probabilità che «l'altro» venisse a sapere. Coloro che fanno molti pellegrinaggi raramente diventano santi, commenta Tommaso da Kempis, autore dell'*Imitazione di Cristo*. Insomma qualche volta si esagerava con questa familiarità con Dio, una confidenza che degenerava nell'irriverenza, e nel 1209 il concilio di Avignone vietò che si tenessero in chiesa pantomime o danze scandalose. Niente da stupirsi, dunque, se l'incendio del 1194 a Chartres fu attribuito a un castigo del cielo, sdegnato non perché i fedeli dormivano in chiesa, ma perché vi dormivano mescolati, uomini e donne.

«Ora queste cose non succedono più» mi dice, visibilmente soddisfatto, il custode Henri, ex coltivatore diretto, piccolo, marziale, testa a palla «però c'è ancora qualche coppia che ha la spudorataggine di limonare sotto i pilastri».

«Perché non li caccia?»

«Potrei farlo, come fece Cristo coi mercanti nel tempio. In più, sono pubblico ufficiale, potrei redigere un verbale. Ma non amo gli scandali. E poi, su due milioni di visitatori annui, cosa vuol mai, c'è sempre la pecora nera.»

«Due milioni?»

«Sissignore, due milioni, siamo la chiesa più visitata di Francia» aggiunge con l'orgoglio d'un manager che sbandiera il fatturato dell'azienda, «abbiamo più visitatori di Notre-Dame di Parigi. Ogni anno arrivano migliaia di studenti e di operai in pellegrinaggio, a piedi».

Osservo il pavimento: è storto. I pilastri, le vertiginose navate poggiano su un pavimento inclinato verso destra. Perché?

«Nei secoli passati» spiega il custode «questo, oltre che un santuario, era albergo e ospedale. Venivano i malati a curarsi con le acque di Chartres, efficaci, sembra, contro il mal caduco. E per pulire il pavimento, si raccoglieva all'esterno, in grandi cisterne, l'acqua piovana che poi veniva fatta entrare e scorrere in chiesa, a getto violento. L'inclinazione è stata studiata in modo che la corrente defluisca come un fiume lambendo le navate laterali, portando con sé i rifiuti, la sporcizia, gli avanzi di cibarie.»

Presso il terzo pilastro della navata centrale è disegnato sul pavimento, con linee di pietra bianca e blu, il famoso labirinto che i fedeli percorrevano in ginocchio, recitando preghiere. Lo sviluppo lineare è pari a duecentonovanta-quattro metri. Esso sostituiva il viaggio in Terrasanta e procurava le stesse indulgenze. Al centro del labirinto c'è Dio, la salvezza, e il filo d'Arianna necessario per raggiungerlo è la fede. Quella fede che se non sempre muove le montagne, a Chartres sicuramente mosse le pietre. Per costruire la cattedrale, edizione 1194, gli abitanti gareggiarono nell'offrire denaro e mano d'opera. Anche dai paesi vicini accorsero ricchi e poveri, portando gioielli, legname, e chi non possedeva nulla metteva a disposizione del cantiere muscoli ed entusiasmo. Il vescovo e i canonici per tre anni rinunciarono alle loro rendite. I sani prestarono il braccio, i malati le preghiere. Alcuni signori, per purgare il peccato di superbia e di avarizia, s'infilarono fra le stanghe al posto dei cavalli, si chinarono a impastare la malta assieme ai loro valletti, e così imbrattati non distinguevi più il padrone dal servitore, il vassallo dal valvassore.

Era un esercito pacifico che dormiva sotto le tende improvvisate vicino al cantiere, i servizi logistici svolti dai cuochi dei monasteri, quelli religiosi dai monaci o dai canonici. Prima di andare al lavoro, si faceva la comunione, «nessuno fu così temerario da toccare i materiali che dovevano costruire la chiesa della Vergine senza essersi prima riconciliato coi propri nemici e confessato». Chi rifiutava di confessarsi veniva strappato dalle stanghe, come un essere immondo che contaminava la fabbrica. Si andava a prendere le pietre a qualche chilometro di distanza, nella cava di Berchères, così pesanti che talvolta per smuoverle occorreva un migliaio d'uomini. La sera, cessato il lavoro, gli operai penitenti cantavano i salmi battendosi il petto quasi con la stessa violenza con cui poc'anzi avevano battuto le pietre. La domenica, riposo obbligatorio, inteso come processione, preghiere pubbliche, venerazione delle reliquie, tra cui la camicia indossata dalla Vergine quando nacque Gesù e attualmente custodita nel Tesoro.

Questa esaltazione collettiva nasceva dalla straordinaria capacità che avevano gli uomini del medioevo di pensare e agire coralmente, di abbandonarsi a un'astrazione. Era il senso della trascendenza che strappava l'individuo alla sua condizione particolare, ai suoi affetti, affari, abitudini, conte o mercante, vegliardo o ragazzo, cittadino o servo della gleba, per spingerlo verso un ideale assoluto, che poteva essere una terrasanta da liberare, una chiesa da edificare oppure, con feroce candore, un eretico da ardere.

Naturalmente il «romanticismo murario» dei volontari non deve indurci a credere che la cattedrale sia loro opera esclusiva. Ci fossero stati soltanto loro, la cattedrale non sarebbe mai sorta. O sarebbe crollata molto prima dell'inaugurazione. Per fortuna, c'erano i muratori, i tagliapietre professionisti, corporazioni che godevano d'un prestigio pari alla loro umiltà, tant'è vero che sono rimasti sconosciuti. Generalmente gli architetti non firmarono i loro capolavori. E le poche volte che leggiamo un nome seguito da *me fecit* non sappiamo se vuol dire *mi fece* o *mi fece fare*. Talvolta nei documenti si legge *magister operis*, maestro dell'opera. Chi è? L'architetto che l'eseguì oppure il canonico, il monaco che reperì il finanziamento, comprò i materiali, pagò i salariati?

Poco o nulla sappiamo di questa prodigiosa legione di costruttori di ciclopici edifici, che hanno sfidato i secoli subendo più danni dalla violenza degli elementi e degli uomini che dall'imperizia degli architetti. Tre uomini lavoravano in un cantiere. Un passante domandò: «Che cosa fate?». Il primo rispose: «Mi guadagno il pane». Il secondo: «Faccio il mio mestiere». Il terzo: «Costruisco una cattedrale». Questo era un vero *bâtisseur*, un costruttore, che aveva l'orgoglio del suo lavoro. È un mistero dove essi abbiano appreso, in tempi di massiccio analfabetismo, la scienza delle costruzioni. Da quale scuola sono usciti? Chi gli ha insegnato, nel mistico Duecento, il secolo di san Tommaso e san Francesco, più incline alla teologia che alla geometria, a calcolare le spinte e le controspinte, a valutare sul millimetro le leggi della statica? Né si sono fermati qui. Hanno dissimulato il rigore tecnicoscientifico sotto gli ornamenti della fantasia creativa, inventando un nuovo stile, le chiese gotiche (contemporaneamente a quella di Chartres ne sorsero, nel nord della Francia, altre venti) estrosamente artigianali, non ne trovi due eguali, sono veramente «fatte a mano».

Lo stile romanico non è di origine cristiana, deriva dalle basiliche dell'antica Roma; è un pagano convertito, un pagano che si è fatto prete, ha scritto Joris-Karl Huysmans. Stile duro, penitenziale, simboleggia la fede aspra del Vecchio Testamento, «fede solida, pazienza virile, pietà robusta, come le sue pietre... Non ha l'estasi fiammeggiante della mistica gotica... è meno agitato, più umile, meno femminile e più claustrale». È uno stile statico, che preme dall'alto verso il basso, la volta grava sui muri e sembra schiacciarli. Compatto e razionale come un sillogismo, il romanico è semplicità, unità, ordine; articolato e imprevedibile come i capitoli d'un romanzo, il gotico è pluralità, libertà, slancio, sentimento, sogno.

Gli architetti erano operai come gli altri, con salario giornaliero non superiore a quello dei muratori qualificati, però ricevevano un premio annuale. Inoltre l'architetto aveva un contratto più lungo, in qualche patto fu prevista la pensione nel caso che l'architetto diventasse cieco o inabile. Un certo Raimondo, temendo l'inflazione, fece nel 1129 con l'arcivescovo di Lugo (Spagna) un contratto, diremmo oggi, indicizzato: pagamento parte in denaro, parte in natura (trentasei metri di tela, diciassette carichi di legna, scarpe e uose secondo la necessità, una misura di sale, una libbra di candele). Inoltre gli architetti potevano lavorare in più cantieri contemporaneamente e arrotondare le entrate con le perizie. Nel 1316, la fabbrica del duomo di Chartres chiamò a verificare lo stato dell'edificio tre esperti: Nicolas de Chaume, Jacques Longjumeau e il direttore dei lavori di

Notre-Dame di Parigi, Jean de Chelles. Nomi professionalmente qualificati, che si fecero pagare in maniera adeguata: venti lire a testa, più di dieci soldi, cioè mezza lira, per ciascuno degli accompagnatori. In quel tempo, in Inghilterra, bastava una rendita fondiaria di venti lire perché il proprietario ottenesse il titolo di cavaliere.

I tagliapietre tagliavano i blocchi direttamente nelle cave, causa le difficoltà e l'alto costo del trasporto, che talvolta quintuplicava il prezzo della materia prima. I veicoli erano ancora quelli con cui gli egizi avevano costruito le piramidi e i romani le arene: imbarcazioni a remi o a vela, carri a trazione animale. Un testo dell'XI secolo parla di ventisei gioghi di buoi impegnati a trainare le colonne per la costruzione della chiesa di Sainte-Foy de Conques. Fortunati i cantieri con la cava vicina. Dalla cava di Berchères a Chartres c'erano quindici chilometri, e in una giornata un giogo di buoi non riusciva a fare, tra andata e ritorno, più d'un viaggio, trasportando una quindicina di quintali di materiale, vale a dire un metro cubo di pietra, «quantità insignificante in rapporto all'edificio» osserva Pierre du Colombier nel libro *Les chantiers des cathédrales*.

Ancor più fortunati i cantieri che hanno a portata di mano (e di buoi) edifici antichi, venerande ma poco venerate rovine, come accadde all'arcivescovo di Reims che, sotto Luigi il Pio, chiese al sovrano di adoperare le pietre della cinta romana. «Non era vandalismo, ma dura necessità economica» osserva ancora il du Colombier. Se poi arriva il miracolo, le distanze si accorciano. Come accadde al vescovo Gérard I, che costretto a rivolgersi, per la ricostruzione della cattedrale di Cambrai, a una cava distante una cinquantina di chilometri, pregò ardentemente il Signore e poco dopo, messosi in cammino, ne scoprì una a soli dieci.

Le maestranze dormivano e mangiavano nelle *loges*, alloggiamenti di legno o di muratura vicini al cantiere, dove discutevano anche di problemi sindacali. Là riparavano durante il maltempo, là depositavano gli attrezzi. D'estate lavoravano dodici ore; d'inverno, se le condizioni meteorologiche lo permettevano, nove. Avevano la settimana quasi corta, difatti ʼ ʼaccavano al mezzogiorno del sabato. Nel corso dell'anno godevano d'una trentina di festività, oltre le domeniche, e alla vigilia di queste il lavoro cessava a mezzogiorno. Però nei giorni di festa gli operai non erano pagati. Quanto guadagnavano? Data la varietà delle situazioni, è impossibile stabilire parametri generali. A titolo indicativo, lo storico Jean Gimpel, in *Les bâtisseurs de cathédrales*, riferisce alcuni estratti dei libri contabili del convento di Sant'Agostino, a Parigi: manovale, sette denari al giorno (la lira, moneta dal potere d'acquisto favolosamente alto, si divideva in venti soldi, il soldo in dodici denari). Operaio qualificato, dieci-undici denari, cioè un soldo scarso. Operaio specializzato (tagliapietre, ecc.) venti-ventidue denari, quasi due soldi.

Ogni tagliapietre aveva un marchio personale che incideva sui blocchi squadrati; esso serviva al capocantiere per conteggiare il lavoro svolto dai singoli. Il contrassegno era di solito la figura stilizzata d'uno strumento di lavoro (martello, compasso) o una lettera dell'alfabeto; un sigillo di garanzia, trasmesso di padre in figlio, da maestro ad allievo, come carta d'identità professionale. Gelosi della loro arte, i costruttori ne tenevano nascosti i segreti. Terminata una cattedrale, la compagnia emigrava in un'altra città, a Colonia, a Canterbury, e il sigillo serviva quale segno di riconoscimento, per smascherare gli eventuali abusivi. Sorsero così le prime associazioni di liberi muratori.

*Free stone* si chiamava nella contea di Kent la pietra tenera, docile allo scalpello dello scultore, tradotta in Francia *pierre franc*. Chi la lavorava si chiamò *free mason*, che in francese divenne *franc maçon*. Secondo un'altra interpretazione, quel *franc* alluderebbe alle generose franchigie di cui godevano, nelle città ospitanti, queste pattuglie di geniali artigiani foresti, guardati con livida gelosia dai lavoratori indigeni. *Franc maçon* poi divenne, in italiano, frammassone, membro della massoneria, la setta speculativa che prese dai costruttori di cattedrali i simboli esteriori, come la squadra, il compasso. Ma nient'altro. Ironia del divenire semantico delle parole: dalle *loges* dei devoti artefici di chiese cattoliche apostoliche romane derivarono, linguisticamente, le *logge* massoniche, condannate con una raffica di scomuniche da ben sei papi, tra il XVIII e il XIX secolo, per il loro vago deismo, sostanzialmente anticristiano.

Quando mancavano i fondi per proseguire i lavori, i canonici o i monaci si rivolgevano ai confessori e ai notai, perché esortassero i penitenti e i moribondi a esorcizzare il denaro male acquistato, versandolo alla fabbrica. In molte città i mercanti avevano una cassetta per il *denier à Dieu*, *Gottespfennig* lo chiamavano i tedeschi, soldi per il Signore, una sorta di polizza d'assicurazione sulla vita eterna. Ad Amiens, nel 1260, un predicatore disse: «Voi potrete avvicinarvi al paradiso, rispetto a ieri, di 140 giorni se il peccato, l'invidia, l'avarizia non vi faranno perdere questa indulgenza, e di altrettanti giorni potrete avvicinare le anime dei vostri cari defunti». Per raccogliere soldi, si organizzarono trasferte di reliquie. Nel 1236, l'arcivescovo di Tours convocò un sinodo che elencò alcune colpe espiabili mediante ammenda pro duomo. Favori spirituali in cambio di elemosine. A Rouen fu costruita la Torre del Burro col denaro offerto dalla cittadinanza in cambio dell'autorizzazione a usare, in quaresima, l'omonimo condimento. Una torre alta quasi ottanta metri: pensate quanto burro.

Figlie d'un doppio miracolo, religioso ed economico, le cattedrali erano simbolo di autonomia civica, di commerci prosperi, si usciva finalmente dall'angusta economia curtense e nasceva la città, con il suo orgoglio borghese e mercantile. E perfino con la pubblicità. Difatti le corporazioni offrirono alla fabbrica di Chartres, in ringraziamento dei buoni affari conclusi e propiziazione di altri migliori, quarantacinque splendide vetrate raffiguranti i bottai, gli incisori, i drappieri, i carrettieri, eccetera. I quali ebbero l'accortezza di farsi effigiare nei medaglioni inferiori delle vetrate e di collocarle in un posto strategico, cioè in basso, lungo il deambulatorio, dove la gente passava e vedeva. Alle vetrate donate dai vescovi e dai nobili, categorie non bisognose di pubblicità, furono assegnate le finestre più alte del coro.

In totale, centosettantotto finestre con duemilacinquecento metri quadrati di vetrate e migliaia di personaggi. Talmente belle che piacciono anche da fuori, dal rovescio, come i tappeti persiani. Vetrate e portali raccontano le storie dell'Antico e del Nuovo Testamento, sono il catechismo di vetro e di pietra che spiega agli analfabeti, mediante l'abbiccì dell'immagine, le verità della fede. «Ciò che gl'illetterati non possono intendere con la scrittura, deve essere loro insegnato con la pittura» aveva sancito il sinodo di Arras, nel 1025. Quanti europei in quel tempo erano in grado di leggere e scrivere? Ecco pertanto nelle settecento statue e statuine del Portale Reale le immagini della speranza, la vita del Redentore e della Madonna, le arti, le scienze, i mesi dell'anno; e nel Portale Sud le immagini del terrore, l'arcangelo Michele che pesa le anime nel giorno del giudizio, e il diavolo, incorreggibile, che tira giù un piatto della bilancia per imbrogliare il giudice. I peccatori vengono precipitati nell'inferno senza alcun riguardo per il loro grado sociale, tra i dannati si vede un vescovo, una principessa e una suora trascinati dal demonio.

In questa Bibbia di pietra tutto è espresso per immagini e simboli, la cattedrale stessa è un simbolo, l'altare è la testa di Cristo, il transetto le braccia. Per Onorio di Autun, poligrafo del XII secolo, «la società è una chiesa in cui le colonne sono i vescovi, le vetrate i padroni, le volte i principi, le tegole i cavalieri, il pavimento il popolo che col suo lavoro nutre la cristianità». Il medioevo fu una civiltà essenzialmente visiva e allusiva. Quegli analfabeti di genio espressero per immagini, anticipandolo nei bassorilievi, nelle vetrate, nelle pitture, quell'aldilà da cui pochi anni, o pochi decenni (era corta la vita media), li separavano. Si consideravano «di passaggio», esuli in terra, e come l'emigrante tiene sul comò le foto dei parenti che un giorno o l'altro spera di rivedere, così il cristiano contemplava nella cattedrale i volti del Celeste Parentado, cui sperava di ricongiungersi quanto prima.

> *Andrò a vederla un dì*
> *in cielo, patria mia,*
> *andrò a veder Maria,*
> *mia gioia e mio amor*

canta oggi un inno mariano.

Nostra Signora di Chartres ha fatto parecchi miracoli. Nel X secolo mise in fuga un'orda di rapaci invasori, i «soliti ignoti» del medioevo. Nel 1360, durante la guerra dei Cent'anni, costrinse Edoardo III re d'Inghilterra a togliere l'assedio. Egli si era accampato a Brétigny, a sette chilometri da Chartres, e un mattino di cielo azzurrissimo mosse all'attacco finale, improvvisamente interrotto da un temporale che fece piovere pietre sulle truppe esterrefatte. Morivano uomini e cavalli. Edoardo promise alla Madonna che se avesse fatto cessare il flagello avrebbe abbandonato l'impresa. Il flagello cessò. Nel 1568 Nostra Signora salvò Chartres dal principe di Condé, ugonotto, che aveva giurato di far mangiare il suo cavallo sull'altar maggiore. Un abitante di Corbeville-sur-Eure, nel preparare un carico di legname da portare al cantiere, si tagliò tre dita con la scure. I medici consigliarono di recidere il tenue filo di carne che le teneva appese alla mano, ma il prete disse: «È meglio pregare Nostra Signora di Chartres» e le tre dita si riattaccarono.

Durante la Rivoluzione molti aristocratici, nascondendosi nella cattedrale, salvarono la pelle. Nel 1912, il poeta Charles Péguy ottenne la guarigione del figlio, facendo a piedi 114 chilometri, sulle orme degli antichi pellegrini. Nell'animo di Péguy c'era una strana miscela di socialismo e nazionalismo (cadrà volontario nella prima guerra mondiale), con un sottofondo misticheggiante che lo fece andare in visibilio davanti alla cattedrale, da lui chiamata «stella del mattino».

Un solo miracolo la Vergine non è riuscita a compiere. Quando nel 1793, l'anno cruciale della rivoluzione che vide Luigi XVI ghigliottinato, i giacobini invasero la cattedrale per distruggere la statua della Madonna, il giovane curato Jumentier ebbe la presenza di spirito di prendere dalla testa di uno dei facinorosi il berretto frigio, e metterlo su quella della statua. «Tu vuoi adorare la Dea Ragione», disse il prete, «ebbene, con questo berretto la Dea Ragione è già fatta». Gli altri restarono senza parole. Conosciuto l'audace gesto del curato, il vescovo, per dimostrargli la sua riconoscenza, lo propose per una promozione. Ma la Madonna non riuscì a compiere il miracolo di far tacere le beghine che, scandalizzate per la condotta del curato, avallata dal vescovo, spettegolavano di casa in casa, dicendo che oramai non c'è più religione, neanche nella gente di chiesa.

◊

# Cannoni e campane
# per i re Magi

◊

La storia del duomo di Colonia comincia a Milano, nel 1164. La città lombarda, rasa al suolo dal Barbarossa due anni prima, sta risorgendo, ma la pesante tutela germanica continua. Tra gli oggetti che gli stranieri vorrebbero aggiungere al bottino ci sono i corpi dei re Magi, custoditi nella chiesa di sant'Eustorgio e trovati, nel IV secolo, in Oriente, da dove, secondo la tradizione, sant'Elena e il figlio Costantino imperatore li avrebbero fatti portare a Milano. Corpi miracolosi, reliquie preziosissime, che facevano gola a Rainaldo di Dassel, arcivescovo di Colonia e cancelliere imperiale, accampato presso Pavia. Uomo d'arme più che di chiesa, Rainaldo tuttavia non ignorava il prestigio che sarebbe derivato alla sua città dal possedere quei resti, il cui nome stesso ne accresceva il fascino: chi diceva che Magi derivasse da Magusei, nome degli abitanti dell'antica Persia; chi da *magis*, più, cioè più sapienti; chi li riteneva veri maghi, esperti nelle arti della stregoneria e poi convertiti.

Nel medioevo l'importanza d'una chiesa, e della città che con essa si identificava, cresceva con l'importanza delle reliquie che i devoti riuscivano, con mezzi non sempre leciti, a procurarsi. A questo punto le versioni dei cronisti non combaciano, pare comunque che l'acquisto dei tre corpi da parte di Rainaldo fosse frutto d'un riscatto o d'un tradimento. Si fa il nome d'un nobile, Assone della Torre, il quale per sottrarli al saccheggio aveva nascosto i preziosi resti nel suo palazzo. Poi, per salvare la pelle, aveva proposto un baratto: consegnare ai tedeschi i tre morti, in cambio di lui vivo. Affare fatto. L'arcivescovo ottenne dal Barbarossa il consenso a esportare i re Magi, purché lo facesse — condizione che praticamente equivaleva a un diniego — all'insaputa dei milanesi. Ma Rainaldo non era uomo da scoraggiarsi per così poco e allestì tre feretri, dicendo alla gente che erano destinati a tre parenti carissimi, morti di peste (così i curiosi si tenevano lontani) e aggiungendo che i defunti avevano lasciato scritto in testamento che Rainaldo li accompagnasse personalmente in Germania, loro terra d'origine. Poteva un arcivescovo non rispettare la volontà dei morti? Il macabro espediente diede il frutto sperato, il 10 giugno Rainaldo lasciò l'accampamento pavese e attraverso il Moncenisio, la Borgogna, la Lorena e poi il Reno arrivò il 23 luglio a Colonia, dove depose le reliquie, provvisoriamente, nel duomo carolingio di san Pietro.

Colonia esultò. Per associare alla sua gioia anche la diletta città di Hildesheim, dove aveva fatto gli studi, l'arcivescovo le regalò, con gesto munifico, tre dita, il che accrebbe nella zona il culto dei tre re e la frequenza, nei registri di battesimo, dei nomi Melchiorre, Gaspare e Baldassarre. Intanto sui luoghi toccati da Rainaldo durante la traslazione spuntavano come funghi locande e trattorie «Ai tre re Magi».

Il fortunato acquisto contribuì a por fine a una sorda polemica tra gli arcivescovi-elettori di Colonia, Magonza e Treviri. Ciascuno aspirava al primato sugli altri due. Per eleggere il re occorreva l'unanimità, e il prelato coloniese votava per primo, influenzando l'esito finale. Treviri era gelosa di Colonia e riteneva di aver maggiori diritti, in quanto il suo seggio era il più antico di Germania. Magonza si aggrappava al prestigio dell'illustre protettore, l'arcivescovo Bonifacio, di venerata memoria. Come risolvere la contesa? «Se riesco ad avere i corpi dei re Magi, i primi re della cristianità» pensò Rainaldo «nessuno oserà mettere in dubbio il primato spirituale di Colonia.» Egli, in sostanza, fece un ragionamento per analogia. Nell'ordinamento laico, un re, un principe, fanno atto di vassallaggio, di sottomissione all'imperatore, dandogli un tributo. L'imperatore, accettandolo, trasmette al vassallo il diritto di governare in suo nome. Analogamente Gesù, ricevendo dai Magi l'oro, l'incenso e la mirra, li consacrava re, conferendo legittimità divina al loro potere. Essi furono i primi re cristiani riconosciuti da Cristo. Dunque, chi possedeva i loro resti, possedeva il primo anello della lunga catena del diritto divino, la fonte stessa della legittimità. Per questo i re germanici, dopo essere stati consacrati con l'olio e incoronati in Aquisgrana, andavano a Colonia a inginocchiarsi davanti all'arca dei re Magi, nella cattedrale costruita apposta per dare degna e definitiva dimora alle loro errabonde spoglie mortali.

I lavori cominciarono nel 1248, sull'area del vecchio duomo carolingio, sorto a sua volta vicino a un tempio di Mercurio. Direttore del cantiere, mastro Gerhard, che prese a modello le cattedrali francesi di Amiens e Beauvais. Nello stesso anno, Alberto Magno apriva a Colonia lo studio che ebbe scolaro, tra gli altri, Tommaso d'Aquino. La prima pietra fu benedetta dall'arcivescovo Konrad von Hochstaden il 15 agosto, assunzione di Maria, e fu scelta questa festività per la particolare venerazione che la Madonna godeva a Colonia, città che si vantava sua coetanea. Infatti il suo primo nucleo era stato fondato da Druso nel 14 a.C., e Maria, secondo lo storico tedesco Gelenius, avrebbe partorito all'età di quattordici anni, quindi sarebbe nata nel 14 avanti Cristo, come Colonia.

Nel 1277 Alberto Magno consacrò l'altare della sagrestia. Nel 1300, completamento del coro, grazie soprattutto a mastro Arnold (morto nel 1299), successore di Gerhard. Johann, figlio di Arnold, progettò la facciata e iniziò la torre sud, poi i lavori rallentarono e fu messa una parete provvisoria — il provvisorio che tende a diventare definitivo — per separare la parte agibile dal resto del cantiere. Nel XIV e XV secolo si lavorò al transetto e si issarono sulla torre sud due campane, attualmente esistenti, la Pretiosa (centododici quintali) e la Speciosa (sessanta). I lavori cessarono del tutto nel 1560 e da allora, fino alla metà dell'Ottocento, simbolo della città rimase quel malinconico mozzicone di cattedrale, con un'inutile e ironica gru sospesa in aria.

Interrotti i lavori, fiorirono le leggende e davanti alla sagoma spettrale della cattedrale incompleta i coloniesi si raccontarono, a scopo consolatorio, la storia d'un muratore «volontario», tragico protagonista d'una chanson de geste. Si chiamava Renaud de Montauban. Toccato dalla grazia dopo una giovinezza dissoluta, per espiare i suoi peccati non scelse la via degli eremiti digiunatori e autoflagellanti, volle fare qualcosa di utile alla comunità e si presentò al cantiere della cattedrale, dicendo al capomastro d'essere disponibile per qualsiasi lavoro, spaccare la legna, portare pietre, impastare la malta. L'unica cosa che non sapeva fare era stare in ozio. L'altro lo avvertì che lui non pagava a tariffa fissa, ma secondo la quantità e la qualità del lavoro svolto. Accetta? Accettato. E lo spedì a dar man forte ed alcuni spompatissimi operai che non ce la facevano a spostare una grossa pietra. Per Renaud, dotato di forza straordinaria, fu un gioco da bambini e alla fine della giornata, in cui fece da solo il lavoro di tre uomini, andò con i compagni a riscuotere la paga. Chi ebbe due denari, chi tre. Nessuno oltrepassò questa cifra. Venuto il turno di Renaud, il capocantiere entusiasta per le sue prestazioni gli disse: «Dimmi quanto vuoi, io te lo darò», ma l'altro chiese un denaro. Un solo denaro gli bastava per comprarsi un po' di pane e companatico. Per una settimana lavorò nel cantiere, conteso dalle varie squadre perché nessuno era più svelto di lui nel rimuovere pietre, impastare malte. Tutto bene, dunque, tranne un dubbio malefico che presto s'insinuò nella mente dei compagni. Quest'uomo, dicevano tra sé, lavorando molto e bene e facendosi pagare pochissimo, ci rovina il mestiere. Come potremo avanzare rivendicazioni salariali, se costui ci fa una così disastrosa concorrenza? Perciò deliberarono di eliminarlo, dandogli una martellata in testa, poi infilarono il cadavere in un sacco e lo gettarono nel Reno. Ma non fecero i conti con i pesci del fiume, che sdegnati per l'orrendo delitto tennero sollevato sul pelo dell'acqua il corpo del pio crumiro, prodigiosamente illuminato da tre ceri. Gli assassini, scoperti, furono puniti. Morale della storiella: non tutto era generosità cristiana e slancio mistico all'ombra delle nascenti cattedrali.

Sebbene incompleta, la cattedrale attirò visitatori da

tutta Europa, tra cui Francesco Petrarca che in una lettera scrisse: «Ho visto in mezzo alla città un tempio bellissimo, sebbene incompleto, che non immeritatamente *summum vocant*, chiamano sommo». Nel coro scintillava l'arca dei Magi, trecento chili di peso, il più grande sarcofago d'oro e d'argento d'Europa, lungo duecentodieci centimetri, largo centodieci, alto centocinquantatré. Iniziato nel 1181 da Nicola di Verdun, questo scrigno incomparabile, a forma di basilica a tre navate e sette campate, fu terminato una quarantina d'anni dopo, da artigiani locali. Davanti a esso s'inginocchiarono teste coronate e anonimi pellegrini, e dietro ai pellegrini in cerca di Dio accorrevano i mercanti, in cerca di guadagno.

A Colonia, che nel XIII secolo era più estesa di Londra e di Parigi, si concludevano buoni affari, la città si arricchiva grazie all'iniziativa dei borghesi, i principi e i sovrani si contendevano la sua amicizia. Lunga e dura fu la lotta per l'emancipazione dalle strutture feudali, per lo sviluppo della libera economia d'impresa. In questo quadro va considerata la ribellione, dopo il Mille, al prepotente vescovo Annone. Avendo un suo ospite, il vescovo di Münster, espresso il desiderio di tornare a casa, «ci penso io» disse Annone e non avendo a disposizione alcun battello, mandò le guardie a requisire quello d'un pacifico mercante, ormeggiato lungo il Reno. A bordo c'era il figlio del proprietario, un giovanotto di sangue caldo che resistette al sopruso, perciò fu gettato in carcere. Appena si sparse la notizia, i coloniesi invasero l'arcivescovado, lo saccheggiarono, costringendo Annone a rifugiarsi in duomo. Di qui, attraverso una galleria, l'arcivescovo raggiunse un cavallo e scappò fino a Neuss, dove racimolò delle soldataglie per l'immancabile vendetta. Tornato a Colonia, la strinse d'assedio e i borghesi, impreparati alla guerra, domandarono le condizioni della resa. Tutti i ribelli si presentino in duomo, fu la risposta. Condizione troppo umiliante e perciò respinta. Chi non riuscì a fuggire, fu sterminato. Al figlio del mercante che aveva voluto difendere, con la sua barca, la proprietà privata, furono cavati gli occhi.

Colonia raggiunse l'autonomia politica nel 1288, quando sconfisse e tenne prigioniero per un anno l'arcivescovo conte Sigfrido di Werterburg. Gli lasciò un solo diritto: infliggere la pena di morte, da cui non si ricavano guadagni, mentre la giurisdizione sui piccoli reati, sanabili con pingui ammende, il comune la riservò a sé. Il poderoso sviluppo economico di Colonia la portò alla testa della Lega Anseatica, già «città libera dell'impero», nel 1475 ottenne il diritto di battere moneta e di avere esercito proprio per decreto di Federico III d'Asburgo, detto «berretto da notte», perché imperatore poco eroico, poco germanico, propenso a vincere le guerre versando quattrini al posto del sangue.

Testimoniano questa ricchezza borghese le meravigliose vetrate a colori della cattedrale. Alte diciassette metri, verticali lame di luce incombenti sul coro, accompagnano nell'ascesa le eleganti nervature dei pilastri che si congiungono al culmine della navata, come mani in preghiera. La luce e il colore, togliendo ogni pesantezza alla pietra, la smaterializzano. Il dato fisico si sublima nel metafisico e la materia cede il posto allo spirito. Il resto lo fa la simbologia che decodifica i colori in chiave mistica, così il bianco è la verità, il blu la castità (la veste della Madonna), il rosso l'amore, il verde la speranza, mentre il nero vuol dire l'errore, il nulla, la morte.

Colonia installò nella cattedrale due seggi, uno per il pontefice *in cornu evangelii*, e uno per l'imperatore *in cornu epistulae*, e bilanciandosi fra i due massimi poteri seppe conservare la sua libertà. Anche la grande scelta fatta al tempo della riforma luterana pare determinata dalla volontà di difendere le conquistate autonomie borghesi. Nel 1586, accortisi che il vescovo Gebardo Truchlsey di Waldburg, simpatizzante luterano e già sposatosi con la protestante contessa Agnese di Mansfeld, aspirava al potere civile, i canonici del capitolo chiamarono al suo posto Ernesto di Baviera, fedele a Roma. Per i coloniesi diventare protestanti significava, in quel caso, perdere la libertà. Per questa fedeltà all'ortodossia Colonia fu chiamata la «Roma del Reno» (centocinquantotto chiese cattoliche, quattordici evangeliche).

In tutto questo tempo il cantiere della cattedrale è malinconicamente chiuso e resta chiuso fino a metà Ottocento, quando Federico Guglielmo IV di Prussia pose la «seconda» prima pietra. Nella generale rivalutazione che il romanticismo fece del medioevo, rinacque l'entusiasmo per il gotico e uno dei fautori era appunto Federico Guglielmo, estroso disegnatore appassionato di architettura, la cui maggiore benemerenza militare fu quella d'aver disegnato un elmetto. Era stato a Colonia per la prima volta nel 1814, giovanissimo principe ereditario, e insieme a due coloniesi, scrittori collezionisti d'arte e amici di Goethe, i fratelli Melchior e Sulpiz Boisserrée, aveva visitato il duomo, restandone profondamente impressionato. In quello stesso tempo, mentre Napoleone era prigioniero all'Elba, la città era passata dalla Francia alla Prussia e il principe cominciò a pensare al completamento della grande chiesa, che vent'anni prima le truppe d'occupazione della vincente rivoluzione francese avevano trasformato (destino analogo a quello di Notre-Dame) in deposito di mangime per cavalli. Si aggiunga il fortunato rinvenimento dei progetti originari, il disegno della facciata scoperto a Darmstadt, nell'attico d'una bettola, e quello della torre sud trovato a Parigi, da Sulpiz Boisserrée.

Quando i due fratelli gli mostrarono i preziosi documenti, Federico Guglielmo per tre notti non dormì. La sua eccitata fantasia interpretò il rinvenimento come un segno del destino; un arcano, perentorio invito a riprendere i lavori, cosa che fece nel 1842, poco dopo l'ascesa al trono. Ma mise una spina nel fianco della cattedrale, la stazione ferroviaria, e una seconda spina nella schiena, il ponte Hohenzollern, proprio dietro l'abside. Da buon prussiano, amante dell'ordine compatto, Federico Guglielmo volle tutto attaccato, l'elemento religioso, l'economico, il politico. Il ponte, su cui oggi passano mille treni al giorno, rappresentava il possesso prussiano, era il lungo braccio di ferro che, varcato il Reno, aveva finalmente conquistato la più antiprussiana delle città tedesche.

Colonia non faceva mistero delle sue simpatie latino-romane e si vantava d'aver dato i natali ad Agrippina, madre di Nerone (il suo antico nome era *Colonia Claudia Ara Agrippinensis*, che poi divenne Colonia tout court). Dall'accostamento ponte-stazione-cattedrale è risultato un orrore urbanistico, come se a Milano la Stazione centrale fosse in piazza del Duomo, al posto della galleria Vittorio Emanuele. I coloniesi protestarono. Quel ponte ferroviario poteva diventare (facile profezia) un bersaglio in caso di guerra, ma sulle proteste prevalsero, così si racconta, gl'interessi d'un fabbricante di cioccolatini il quale, amico della Corona, insisteva per avere la stazione vicina allo stabilimento.

Sebbene i coloniesi tendano a sminuire l'importanza del contributo prussiano, e durante il carnevale canzonino, con satire e maschere, il militarismo degli junker, sta di fatto che Berlino pagò circa la metà delle spese per la cattedrale. Una porzione piccolissima fu pagata dai francesi con moneta di cannoni. Infatti dopo la vittoria prussiana di Sedan (1870), l'associazione Pro Duomo si fece dare dal nuovo sovrano Guglielmo I alcuni pezzi d'artiglieria nemici, per fare una campana. L'occasione era troppo seducente perché il patriottismo rinunciasse a imbastirvi sopra una manifestazione religioso-nazional-fotografica. Ventidue cannoni francesi furono portati per centinaia di chilometri, via Reno, da Strasburgo, diventata tedesca, fino a Colonia, allineati sul sagrato, fotografati di bocca e di profilo, e poi ricondotti verso sud, sempre via Reno, per altre centinaia di chilometri, allo stesso posto donde erano partiti, e consegnati alla fonderia che ricavò dal bronzo (mister Hyde diventa dottor Jekyll) un'enorme campana. Mezzo secolo più tardi, durante la prima guerra mondiale, quella campana ridiventò (dottor Jekyll si reincarna in mister Hyde) bocca da fuoco, sparando in direzione opposta, contro i francesi.

Tuttavia la cattedrale che gli Hohenzollern vollero come testimonianza della potenza e dell'efficienza prussiana nell'antiprussiana «Roma del Reno» non migliorò i rapporti con la Roma del Tevere, sempre più guastati dal *Kulturkampf*, l'inflessibile lotta laicista del cancelliere Bismarck contro la chiesa cattolica. Fu inserito nel codice penale il reato di «abuso di pulpito», attribuita allo Stato la vigilanza su tutto l'insegnamento compreso quello religioso, espulsi i gesuiti. Nel 1875, fu introdotto il matrimonio civile e vennero sciolti gli ordini religiosi che non si dedicavano agli ammalati. Mentre le autorità politiche nominavano i «parroci di Stato», i cattolici reagirono denunciando la nuova «persecuzione diocleziana». L'arcivescovo Clemente Augusto II, che si·opponeva ai matrimoni misti fra cattolici e protestanti, fu chiuso in fortezza, dove morì. Paolo Melchers, suo successore, oppostosi alla nuova legislazione, fu imprigionato due volte. La terza, fecero in modo che riparasse in Olanda. Pertanto gli arcivescovi di Colonia non erano in grado di seguire i lavori della chiesa, oppure ne avevano frammentarie notizie dai secondini.

Il mirabile equilibrio medievale, *in cornu epistulae, in cornu evangelii*, a destra l'imperatore, a sinistra il papa, era stato spezzato. Il 15 ottobre 1880 il duomo fu inaugurato, assente l'arcivescovo Melchers, esule a Roma. Una vignetta dell'epoca mostra Guglielmo I e la consorte Augusta di Sassonia che entrano alla chetichella, sotto gli occhi d'un monsignore che se ne sta in disparte, senza alcun paramento da cerimonia e guarda distrattamente la coppia imperiale, quasi fossero due turisti.

Nella seconda guerra mondiale poco mancò che questo figlio dell'orgoglio prussiano facesse la stessa fine del padre. «I primi danni veramente notevoli li abbiamo avuti col bombardamento del 29 giugno 1943: mille aerei inglesi, quattromila morti» racconta il parroco della cattedrale, Wilhelm Kleff, «ricordo benissimo una bomba penetrata nell'angolo nord del transetto, che distrusse l'organo. Oramai non era più possibile dir messa e ci si rifugiava sotto la torre sud, quella nord essendo già stata colpita. Andarono distrutti dodicimila metri quadrati di tetto. L'attacco più spaventoso avvenne il 2 marzo 1945, verso le nove. Il duomo ondeggiava come un bastimento, tre volte della navata centrale precipitarono, io stavo rannicchiato in un sotterraneo, unica persona presente in chiesa. Rimasi là sotto una mezz'ora, che mi parve una mezza eternità. Non mi illudevo che venisse qualcuno. Neanche i pompieri. Colonia era deserta, tutti morti o fuggiti. Alle bombe alleate, quattordici per l'esattezza, si aggiungano le diciannove granate sparate dai tedeschi quando si ritirarono oltre il Reno, poco prima del crollo finale».

Quando il reverendo Kleff uscì dal suo rifugio, la sua parrocchia contava sei abitanti. Si guardò intorno: il tempio, nonostante le atroci ferite, era ancora in piedi. La città invece era distrutta al novanta per cento; dopo tanti bombardamenti subiti, le macerie raggiungevano un volume pari a quarantacinque volte la cattedrale. La ricostruzione fu veloce e scrupolosa, tutto ritornò come prima, tranne un piccolo squarcio nella parte sinistra della facciata, una ferita nella pietra gotica lasciata apposta come ammonimento contro la tentazione di guerre future, e riconoscimento postumo che, tutto sommato, aveva ragione l'antieroico Federico III, «berretto da notte».

Le due torri, alte centocinquantasette metri, non hanno il solito rosone, a differenza dei modelli francesi, e ciò per accentuare la verticalità della facciata, la più grande facciata di chiesa oggi esistente (seimilanovecentocinquantadue metri quadrati). Sembrano le punte d'una vertiginosa mitra vescovile piantata su un tempio che obbliga tutti, credenti e no, a guardare all'insù, chiesa da torcicollo, un «sesto grado» per le ascensioni dell'anima tedesca.

> *Tu sei il nostro Sinai, vetta del mondo di Colonia,*
> *una mano esperta ti ha costruito; tu sei*
> *la montagna, torre scaturita dalle nostre leggi:*
> *tu, tu racchiudi la nostra nube di santità*
> *entro colonne sicure*

ha scritto il poeta neoromantico Theodor Däubler (1919).

Ma chi non ha la forza per librarsi nell'alta speculazione, può sempre ricorrere alla mediazione d'un santo, al gigantesco Cristoforo che, nel transetto sud, sbircia verso l'ingresso. Dice la tradizione che chi entra e, pentito dei suoi peccati, guarda subito quella statua, sicuramente non si dannerà. Se preferite un'altra versione, chi guarda quella statua in quel giorno non morirà. Cristoforo porta Gesù sulle spalle, lui ci mette una parolina, e il divino infante non può dirgli di no. La statua lo scultore Tillmann (1470 circa) l'ha fatta alta quasi quattro metri perché il fedele la veda appena entrato, senza perdere tempo.

Come quello di Milano, anche il duomo di Colonia ha un nemico implacabile, lo smog. «L'umidità del nostro clima, combinandosi con lo zolfo dell'aria, crea degli acidi che mangiano il calcare» osserva il dottor Arnold Wolff, architetto della Fabbrica, «bisognerebbe sostituire con basalto, materiale duro, i pezzi che adesso si sbriciolano come pasta frolla. Ma occorrono soldi, molti di più di quanti non consenta il bilancio attuale. La manutenzione del tempio spetta allo Stato, alla chiesa e al comune, ma i coloniesi spendono più volentieri per il carnevale. Eppure il problema va affrontato, perché l'azione corrosiva è direttamente proporzionale alla piovosità. E da noi piove molto, molto più che a Milano».

I re Magi, preda di guerra del Barbarossa, rimpiangono forse lo smog della Madonnina?

◊

# La moschea battezzata

◊

Davanti alla Porta del Latte, dove le ragazze madri abbandonavano il frutto della colpa e i canonici placavano i trovatelli col biberon, l'organino suona il paso doble, confondendo le idee al somarello che stenta a fare il passo semplice. Un venditore di souvenir offre la moschea-fermacarte sull'uscio della chiesa, si chiama Adarve, bel cognome arabo che vuol dire fortezza: i suoi antenati, mille anni fa, erano dall'altra parte, dalla parte di chi comanda.

Nel Patio degli Aranci gli operai insaccano nella plastica i frutti, che rendono poche migliaia di pesetas l'anno, devolute alla manutenzione del colossale edificio. Tra le piante zampillano fontane, in ricordo delle abluzioni che gli arabi facevano prima di entrare nella moschea, e se mancava l'acqua, la simbologia del rito ricorreva alla sabbia. La moschea comunicava direttamente col giardino, gli arabi la vollero spalancata affinché vi entrassero il sole, la luce, poi i cristiani ne murarono le arcate, abituati com'erano a cercare, per la meditazione e la preghiera, gli austeri silenzi delle chiese romaniche o le mistiche penombre delle cattedrali gotiche.

Con eclettica prontezza, i costruttori islamici presero dai bizantini l'idea dei mosaici, dagli egizi la sala a colonne, dai visigoti l'arco a ferro di cavallo, dall'acquedotto romano di Segovia gli archi sovrapposti. Nell'arco a ferro di cavallo videro l'orma dei destrieri coi quali avevano conquistato sulle sponde del Mediterraneo un impero paragonabile a quello di Roma; negli archi sovrapposti, la stilizzazione dei rami di palma; e costruirono la moschea come un gigantesco palmeto di pietra, ottocentocinquantasei colonne in un rettangolo di centosettantacinque metri per centotrentacinque, che compongono e scompongono allo sguardo del visitatore, man mano s'inoltra verso l'interno, ritmici allineamenti e «fughe» a perdita d'occhio, cadenzati giochi di profondità, mutevoli e sempre esatte prospettive geometriche, congeniali a un popolo che inventò l'algebra. Gli arabi portarono colonne da tutto il Mediterraneo, come faranno più tardi i veneziani per il loro san Marco; di qualsiasi stile ed epoca, da Pompei, dalle chiese cristiane, dai palazzi ellenistici; e se una colonna risultava troppo lunga per il loro bosco pietrificato, facevano un buco nel pavimento; se troppo corta, l'allungavano sovrapponendo un capitello più alto o applicando alla base uno zoccolo, come quando s'infila un pezzo di carta sotto la gamba d'un tavolo che zoppica.

Venivano dai paesi del sole, questi cavalieri mandati alla guerra santa dal Corano guerrafondaio. «Dio ha preferito i combattenti ai non combattenti» (IV, 95); «Venti uomini pazienti dei vostri ne vinceranno duecento, cento dei vostri ne vinceranno mille di quelli che hanno rifiutato la fede» (VIII, 65); «Combattete coloro che non credono in Dio... combatteteli finché non paghino il tributo uno per uno, umiliati» (IX, 29) recita il libro sacro.

Per difendersi dalla luce bianca del sole, chiusero le palpebre, e nell'ombra rovente scesa sulle pupille videro una danza di scintille impazzite, gl'incandescenti splendori del sole che accieca, e questo turbinio di luci e colori puntualmente riprodussero nella fantasmagoria dei mosaici, degli archi incrociati, dei soffitti a cassettoni dorati, dei capitelli arborei, delle trine di marmo azzurre e rosate, delle pietre rabescate con simmetrie minute, ripetute e insistenti fino all'ossessione, come una musica orientale. La moschea di Cordova è l'abbaglio architettonico d'un popolo che ha guardato in faccia il sole.

La costruì un profugo politico. Nel 750, durante la lotta tra le famiglie degli Abbasidi e quella degli Ommiadi che si contendevano il primato, gli Abbasidi massacrarono a Damasco gli Ommiadi, che reggevano il califfato. Dall'eccidio si salvò soltanto il giovane Abd al-Rahman, di vent'anni, assieme a un fratello di tredici. Primo rifugio, un accampamento beduino, lungo il fiume Eufrate. Arrivano i nemici, i due si buttano a nuoto. «Se tornate indietro, vi perdoniamo» promettono gli inseguitori.

Abd al-Rahman non si fida e guadagna l'altra sponda, il fratellino non si fida delle proprie forze, torna a riva e gli tagliano la testa. Per cinque anni il superstite vagò sotto falso nome tra Palestina ed Egitto, finché nel 755 passò in Spagna, già invasa dagli arabi, e destreggiandosi fra i capi locali riuscì a farsi riconoscere emiro di Cordova. Saputa la notizia, il califfo abbaside di Bagdad nominò un governatore e lo spedì a riconquistare la Spagna, caduta in mano agli odiati Ommiadi. Abd al-Rahman lo catturò, gli tagliò la testa, la cosparse di sale e canfora e la inviò a Bagdad, incartata nel decreto di nomina. Aperto il pacco, il califfo esclamò: «Sia lodato Allah, che ha messo il mare tra me e questo sparviero».

Fu appunto questo sparviero, che aveva saputo con l'audacia, la perseveranza e la perfidia ribaltare la condizione di esule in quella di principe, a costruire in soli tre anni la moschea, a maggior gloria di Allah e, in via subordinata, sua personale. Rase al suolo un precedente tempio cristiano, dedicato a san Vincenzo, sorto a sua volta su un tempio latino di Giano (nel corso dei secoli, si pregarono nello stesso luogo differenti divinità) e indennizzò i cristiani. Uno sparviero abbastanza civile, tutto sommato. E anche poeta:

> *Ho unito con la spada i pezzi del mio regno*
> *come il sarto con l'ago i pezzi d'un vestito*

canta in una lirica. Per far dispetto al califfo abbaside, non orientò la moschea, come esigeva la liturgia musulmana, verso la Mecca, bensì verso il Marocco, voltando materialmente le spalle a Damasco e a Bagdad. Col passar degli anni, Cordova divenne una concorrente della favolosa Bagdad e la moschea si ingrandiva con l'arricchirsi della città.

Sotto i successori di Abd al-Rahman, le navate da undici salirono a diciannove. Per i lavori di ampliamento, Abd al-Rahman II si servì d'un elefante africano che trascinò le colonne provenienti dal distrutto teatro romano di Mérida;

e quando la bestia morì, fece appendere una zanna al soffitto e murò una lapide, illuminata da una lampada, in memoria del generoso pachiderma che da solo faceva il lavoro di cento uomini. Abd al-Rahman III, che fu il primo ad assumere il titolo di califfo, costruì il minareto che s'alzava su mezzo milione di abitanti, trecento bagni pubblici, una biblioteca con quattrocentomila volumi, tredicimila tessitori, ventun sobborghi, strade lastricate e illuminate con secoli di anticipo su Parigi, Londra e Milano. Quattromila giovani, e meno giovani, studiavano teologia e diritto nell'università, da lui fondata e ospitata nella moschea, nel Patio degli Aranci, e uno dei più celebrati maestri, citato da Dante, fu Averroè, commentatore di Aristotele sotto il portico occidentale, finché non lo cacciarono a pedate, per il suo insegnamento non conforme al Corano.

Era così di moda la scienza araba, che a Parigi Alberto Magno, maestro di san Tommaso, indossava abiti di foggia araba. Le civiltà vincenti colonizzano, delle civiltà subalterne, anche il guardaroba, come ben sanno gli europei che dopo il declino del vecchio continente si sono americanizzati, indossando i jeans. Chi voleva presentare una nuova teoria filosofica la spacciava per musulmana: successo garantito. Lo studio dell'astronomia (zenit e nadir derivano dall'arabo) fu stimolato anche da ragioni pratiche, come la necessità di conoscere le ore delle cinque preghiere prescritte quotidianamente dalla religione, e la posizione della Mecca, verso la quale l'orante doveva dirigere il volto.

Il monaco benedettino Gerbert d'Aurillac studiò in Spagna, taluni dicono a Cordova, la scienza e la filosofia arabe, prima di diventare papa Silvestro II. Quando ai re cristiani di León e di Castiglia occorreva un architetto, un geometra, un sarto, lo facevano venire da Cordova. L'industria del cuoio cordovano conquistò il mondo, gli arabi introdussero in Spagna il riso, l'arancio, il pesco, il gelso, il melograno, il carciofo, l'asparago, il cotone, lo zafferano, la canna da zucchero. Il loro boom marinaro lasciò larghe tracce nel vocabolario con ammiraglio, arsenale, corvetta, scialuppa, tariffa. Risma è parola araba e vuol dire rotolo, perché già nel XII secolo in Spagna si fabbricava la carta. Quella araba era la civiltà dei materiali preziosi, dei manufatti eleganti, ha scritto Jacques Le Goff; quella dell'Occidente cristiano, non ancora uscito dai «secoli bui», era la civiltà della miseria e della fame, materia prima di base l'umilissimo legno. Soltanto dopo il Mille l'Occidente cristiano cominciò a costruire i primi, timidi edifici di pietra e a vivere con qualche modesto agio, quando l'Islam era già sazio di mosaici e di pietre preziose.

Cristiani ed ebrei versavano ai conquistatori arabi un tributo personale (testatico), da cui erano esenti donne, bambini, poveri, ammalati e monaci. In caso di conversione all'islamismo, non si pagava più l'imposta personale, restava in vigore quella fondiaria. In un sobborgo meridionale della città abitavano i cristiani convertiti, molti dei quali pare fossero attratti dal miraggio della poligamia e della riduzione fiscale. Gli altri assunsero usi e costumi arabi, conservando l'antica religione. Si chiamavano mozarabi, cioè arabizzati; in condizione d'inferiorità politica, non potevano accedere agl'incarichi di governo.

Per trattenerli sulla retta via e arginare la dilagante arabizzazione favorita dalla potenza economica e dal prestigio culturale della classe dominante, qualche ardente cristiano non esitò a cercare lo scandalo, cioè il martirio. Metodo infallibile per essere esauditi era un'ingiuria a Maometto, pronunciata pubblicamente. Cosa che fece durante il Ramadan, il mese dedicato ai digiuni, il prete Perfetto. Giustiziato immediatamente. Il popolo lo considerò un santo. I cristiani ritenevano i musulmani gl'infedeli per eccellenza, e per dispregio chiamarono Bafometto, corruzione di Maometto, un demonio. Per Pietro il Venerabile, abate di Cluny, nella gerarchia dei nemici di Cristo egli sta fra Ario e l'Anticristo. Dopo il martirio di Perfetto, il monaco Isacco si presentò agli arabi manifestando il desiderio di abbracciare la loro religione. Gli altri non fecero in tempo a esprimere il loro compiacimento per l'autorevole conversione, che Isacco improvvisò una fantasiosa serie di bestemmie contro il Profeta, guadagnandosi l'immediata decapitazione.

In totale, furono quarantaquattro le vittime di questa

volontaria «corsa al paradiso». Arma pericolosa per Abd al-Rahman II, che per stroncare i contagiosi olocausti a catena ottenne, con le minacce, dalle autorità cristiane che fosse condannata la ricerca del martirio (anno 852). Con scarsi risultati. Se il tribunale islamico, putacaso, usava clemenza, poteva capitare che il cristiano condannato esigesse il massimo della pena, come fece la giovane Flora, figlia di padre musulmano e di madre cristiana, che avendo bestemmiato Maometto, fu messa in carcere, ma lei, istigata da frate Eulogio, imprigionato per lo stesso motivo, pretese di salire al patibolo. Fu accontentata. Eulogio, scrittore e vescovo, la seguì poco dopo, l'11 marzo 859.

Uno dei maggiori ampliamenti della moschea porta la firma del nobile Ibn Abu Amir, passato alla storia col nome di al-Mansur, il Vittorioso, in forma spagnola Almanzor. Ambizioso, geniale, spregiudicato, egli aveva fatto strada presso il califfo al-Hakam II usando come scorciatoia, pare, il letto della di lui moglie, la principessa Subh. Per venticinque anni Almanzor fu l'arbitro della Spagna musulmana, che impegnò in una guerra santa contro il nord. I re cristiani di León e di Navarra, terrorizzati, gli mandarono per placarlo le loro figlie, come schiave o spose. Dalla spedizione contro il santuario di Santiago di Compostella, nel 997, egli condusse a Cordova file di prigionieri cristiani, recanti sulle spalle le porte e le campane del santuario, che poi issò nella moschea. I prigionieri, incatenati ai piedi, furono adibiti nelle opere di ampliamento. Le campane, arrovesciate, riempite d'olio e usate come lampade per il Mihrab, la cella santa che custodiva il Corano e per la quale Niceforo II Foca, imperatore d'Oriente, inviò da Bisanzio trecentoventi quintali di tessere di mosaico.

Là dentro entrava soltanto l'imam, il capo religioso, a leggere la preghiera. La cella aveva, e ha tuttora, un solco lungo il perimetro, per evitare che il Corano, nella malaugurata ipotesi che cadesse dal piedestallo, finisse a un livello più basso dei piedi dell'orante, estremità sempre impure, a prescindere dalle abluzioni. Nella moschea si comunicavano al popolo le nuove leggi, si salutavano gli eserciti reduci dalla guerra, colmi di gloria e di bottino cristiano. Almanzor, che fece inserire il suo nome nella preghiera del venerdì (la domenica dell'Islam), lavorò personalmente all'ampliamento della moschea e quando, alla cinquantesima spedizione, questo «Bismarck del X secolo» morì, gli arabi lo piansero come un condottiero impareggiabile e lo seppellirono col capo posato sopra un cuscino, ripieno di sabbia raccolta nelle sue campagne di guerra. Dall'altra parte della barricata, un cronista cristiano registrò il decesso esultando: «Nel 1002 morì Almanzor e fu sepolto all'inferno».

Tra le molte analogie dottrinali che apparentano le due religioni, v'è anche l'inferno, chiamato dai musulmani gehenna. E c'è anche il diavolo, lo spirito del male chiamato Iblìs, dal greco diàbolos. Un giorno, dice una leggenda, Iblìs si rivolse ad Allah:

«Signore, tu mi hai costretto a scendere sulla terra, mi hai respinto. Dammi almeno una casa.»

«Tua casa saranno i mercati, i quadrivi, i bagni pubblici.»

«Vorrei però anche mangiare.»

«Tuo cibo sarà quello sul quale non sarà stato invocato il nome di Allah.»

«Che cosa potrò bere?»

«Vino.»

«Chi sarà il mio muezzin?»

«Il flauto.»

«Con quale mezzo parlerò?»

«Con le poesie.»

«Che trappole userò?»

«Le donne.»

Con la morte di Almanzor cominciò la decadenza del califfato di Cordova e nel 1236 i cristiani, guidati da Ferdinando il Santo, conquistarono la città. Era tale la fama della sua moschea, che ancor prima della liberazione i pontefici avevano autorizzato il suo uso per il culto cristiano. Piantata la croce sul minareto (oggi torre barocca) e convertita la moschea in cattedrale, i prigionieri musulmani riportarono a spalle, dura nemesi, le campane e le porte da Cordova a Santiago di Compostella, mentre sotto la Porta delle Benedizioni il vescovo accoglieva gli eserciti che tornavano dalla guerra, colmi di gloria e di bottino arabo. Ogni moro, carpentiere muratore o maniscalco, fu obbligato a lavorare gratis, due giorni l'anno, per la manutenzione della chiesa. I canonici passavano il pranzo. Per favorire i lasciti, re Sancio IV vietò di fare indagini sulla provenienza dei beni comunque offerti alla chiesa. Il donare a Dio cancellava ogni macchia.

Curiosa la vertenza dei macellai. Alfonso il Saggio aveva demolito le botteghe, proprietà del capitolo della cattedrale, che cingevano la moschea e costituivano la dote per il suo mantenimento, e per risarcire i canonici concesse a loro il monopolio della vendita della carne. Ire e sciopero dei macellai, che rifiutarono di prendere in gestione le rivendite del capitolo e cominciarono a macellare in casa, clandestinamente. Allora il capitolo chiamò dei macellai forestieri, i colleghi cordovani insorsero contro i «crumiri», ma intervenne Alfonso il Saggio minacciando pene severe a chi toccasse un capello ai nuovi venuti, «i quali avrebbero aumentato la quantità della carne sul mercato e fornito qualità e prezzi migliori dei macellai locali».

Tranne la chiusura degli archi che danno sul cortile, e la costruzione, nel XV secolo, della Cappella Reale, la moschea per quasi tre secoli fu sostanzialmente rispettata. La sua eccezionale bellezza e grandiosità (oltre ventitremila metri quadrati di superficie) le avevano risparmiato il destino riservato dalla Reconquista cristiana alle moschee spagnole, quasi tutte rase al suolo. Finché si arrivò al fatale 1523, quando l'autorità ecclesiastica deliberò di abbattere una settantina di colonne, per inserirvi una chiesa di cinquantatré metri per quindici. Uno stupro assurdo. Una pugnalata architettonica nel cuore della moschea. Al vandalico progetto si oppose con coraggiosa fermezza l'autorità municipale, che minacciò la morte a chiunque, dirigente od operaio, osasse toccare quel capolavoro. «Quello che si voleva disfare» disse la giunta «non sarebbe stato rimpiazzato da qualche cosa che potesse arrivare a simile perfezione.»

Tuttavia il capitolo si appellò al Consiglio Reale, che diede torto alla giunta, obbligandola a ritirare le sue minacce. Il sovrano era Carlo V. Cominciarono così, su progetto di Hernán Ruiz, maledetto dalla rabbia impotente dei cittadini, i lavori d'una tronfia chiesa gotico-barocco-plateresca (da *platero*, argentiere, cioè lo stile dei ricami, delle cesellature) che nella solenne armonia della moschea stona, come il Valzer della *Vedova allegra* inserito nella *Nona* di Beethoven. Se ne accorse, troppo tardi, lo stesso imperatore, il quale passando tre anni dopo per Cordova e vedendo il frutto della devastazione cui aveva dato il suo augusto consenso, confidò ai canonici: «Se avessi saputo quello che avevate intenzione di fare, non l'avreste certo fatto, perché quello che voi fate là, lo si può trovare dappertutto, e ciò che avevate prima non esiste in alcuna parte del mondo».

Parole sante, anche se coccodrillesche. Da notare che si sarebbe speso meno costruendo una chiesa ex novo; al capitolo, ricchissimo, non mancavano le aree fabbricabili. La moschea divenne così l'elegante involucro, la radiosa anticamera d'una brutta chiesa cristiana. La profanazione artistica nacque forse da un puntiglio teologico? I suoi zelatori immaginavano l'islamismo anticamera del cristianesimo e Maometto un usciere di Cristo?

Per capire meglio, faccio visita a don Manuel Nieto, archivista della moschea-cattedrale. Chiuso nel suo ufficio confinante col Mihrab, tra migliaia di volumi di pelle color cammello, egli consulta un palinsesto, accanto alla finestra che dà sul Guadalquivir. Dietro la scrivania, la porta d'un corridoio che una volta comunicava direttamente con l'Alcazar. Questa era una delle sette uscite di sicurezza. Il califfo, timoroso degli attentati, la usava per recarsi segretamente alla preghiera.

«Lo sventramento?», esordisce con calore don Manuel, «sia ben chiaro che il capitolo non c'entra. Lo so, tutti hanno scritto che sono stati i canonici a volere questo scempio, ma io ho scoperto un documento che prova esattamente il contrario. È un atto del 1° aprile 1523, in cui il capitolo dona una casa ad alcuni muratori impegnati nella costruzione della nuova chiesa *"que no deveria facerse"* scrissero testualmente i canonici deplorando l'iniziativa. I cordovani, creda a me, hanno sempre amato e difeso la moschea.»

«E allora, chi è il colpevole?»

«Il vescovo Alonso Manrique.»

«Per quale ragione?»

«Perché non era cordovano.»

«Il capitolo era molto ricco, nel medioevo?»

«Padrone di un terzo della città. Re Ferdinando il Santo gli aveva donato cinquecento appezzamenti di terreno, il castello e la città di Bella, la città di Licena, un terzo degli uliveti appartenenti alla Corona. Basti pensare che a quei tempi la proprietà fondiaria apparteneva quasi interamente al re, ai nobili, al clero. Il cinque per cento della popolazione possedeva il novantacinque per cento della terra.»

«Dopo Carlo V, non si sono fatti altri sventramenti?»

«Nel XVII secolo si voleva costruire un'altra cappella reale, ma scoppiò la guerra col Portogallo, c'era altro da pensare, così la moschea, grazie alla guerra, bisogna proprio dire così, evitò un nuovo oltraggio.»

Qui arrivano parecchi turisti musulmani e taluni si tolgono le scarpe, sotto il benevolo sorriso dei guardiani. Sono venuti Maometto V, il sultano ottomano alleato della Germania nella prima guerra mondiale, Ibn Saud, re Hussein. Nel Mihrab hanno pregato lievemente rivolti verso sinistra, verso la Mecca, rettificando l'orientamento di Abd al-Rahman I (per colpa del fondatore, che ripudiò l'Oriente, la moschea di Cordova perdette a favore di quella di Siviglia il primato religioso nell'Andalusia musulmana). Talvolta affiora la nostalgia nazional-religiosa degli arabi, come quando re Hassan II rievocò romanticamente il regno di Granata, ultima roccaforte araba in Spagna, perduta nel 1492, lo stesso anno in cui Colombo, per conto della Spagna, scopriva l'America.

«Ma c'è di più» aggiunge don Manuel, «nel 1972 re Feisal ha offerto la bellezza di dieci milioni di dollari al governo spagnolo, per restaurare la moschea-cattedrale, a un patto…»

«Voleva che murassero una targa in ricordo del munifico gesto?»

«Voleva che fosse riservato un angolo per il culto musulmano.»

«Questo sarebbe molto ecumenico. E, dal punto di vista turistico, un grande affare.»

«Certamente. Meglio che se avessimo il papa a Madrid. Tuttavia il governo lasciò cadere l'offerta» conclude il reverendo, congedandomi.

Qualcuno ha definito le tre religioni monoteiste, cristianesimo, ebraismo e islamismo, per le molte affinità dottrinarie, i tre dialetti della stessa lingua. Viene in mente la novella del Boccaccio, che affrontando il tema: quale delle tre religioni è la verace? parla di tre anelli, uno prezioso, autentico, gli altri due di perfetta imitazione, lasciati in punto di morte da un uomo ai suoi tre figli. A questa condizione: l'eredità toccherà al possessore dell'anello vero. Ma a chi, dei tre fratelli, esso sia toccato «ancora ne pende grande quistione», conclude lo scettico novellatore.

Accompagnato da questi pensieri, passo dall'archivio di don Manuel nella moschea dove un'ondeggiante processione di canonici, cappa rossa e berretto verde, taglia in diagonale una «fuga» di colonne. Cantati i salmi, i monsignori escono dal coro, mentre sulle canne dell'organo si spengono, come fiammelle su un candeliere, le ultime note di musica. Adesso, dal Patio degli Aranci, giunge quella dell'organino.

◊

# Assassinio in
# Santa Maria del Fiore

◊

Non vollero cedere un'area alla nascente chiesa di santa Maria del Fiore e per questo motivo i Bischeri passarono alla storia. L'Opera del duomo aveva bisogno, per far avanzare la fabbrica, di abbattere alcune casupole che i proprietari, la nobile famiglia dei Bischeri, rifiutarono di cedere. Chiedevano un prezzo esorbitante e l'affare sfumò. Poco dopo, durante un incendio o un tumulto (la tradizione popolare non specifica) quelle case andarono distrutte e i proprietari restarono con un pugno di vento. Da allora sarebbe entrata nell'uso comune la locuzione «non fare il bischero», per rimarcare un comportamento inabile e malaccorto. I Bischeri, insieme con le case, perdettero la maiuscola e diventati bischeri passarono dalla cronaca al lessico fiorentino, conquistando una notorietà quale non ebbero le migliaia di cittadini che collaborarono attivamente alla nascita di santa Maria del Fiore.

Questa non fu la prima cattedrale di Firenze. La prima in ordine di tempo fu il Battistero, il «bel san Giovanni» nel quale invano Dante sperò d'essere incoronato poeta; un tempio romanico che subì molti rifacimenti, finché all'inizio del XII secolo non fu più in grado di accogliere la crescente popolazione. Perciò il titolo di cattedrale passò alla vicina chiesa di santa Reparata, lasciando al «bel san Giovanni» il fonte battesimale. Verso la fine del XIII secolo anche santa Reparata si rivela vecchia, insufficiente, perciò nel 1294 i priori della città, vale a dire il consiglio dei ministri, incaricano Arnolfo di Cambio di costruire una nuova chiesa nello stesso luogo in cui sorge santa Reparata, che oltre ai già elencati difetti ha quello di non essere adeguata al prestigio, all'orgoglio d'una città che da qualche tempo fila col vento in poppa, vittoriosa in guerra e in diplomazia, nei traffici e nelle arti. Firenze scoppia di salute, i suoi mercanti si espandono in tutta Europa, i sovrani chiedono prestiti ai suoi banchieri, il fiorino sta per diventare il dollaro del medioevo. Firenze parteggia per i guelfi non soltanto per odio verso l'imperatore, ma anche perché, col papa, i suoi banchieri imbastiscono ottimi affari, qualcuno di loro gestirà l'esazione delle decime in tutto l'orbe cristiano.

Essa ha sconfitto i ghibellini di Arezzo, a Campaldino, presente Dante Alighieri, e poi i nemici interni, i nobili dell'ancien régime, obbligandoli a rinunciare ai privilegi feudali. Se Pisa, «vituperio delle genti», già possedeva un duomo meraviglioso, e Lucca il suo san Martino, e Siena, superghibellina si badi bene, profondeva milioni nella nuova cattedrale, poteva Firenze, occhio destro della curia romana, restare in seconda linea? Chiese ce n'erano, d'accordo. Tra secolari, conventuali e oratori, i luoghi di culto ammontavano a centocinquanta, per una popolazione di novantamila abitanti, di cui tremila erano preti, frati o monache. Ma la chiesa grande, di prestigio, mancava.

Perciò «i cittadini s'accordarono di rinnovare la maggiore chiesa», scrive il Villani, «la quale era molto di grossa forma e piccola in comparazione di sì fatta cittade, e ordinarono di crescerla e di trarla addietro e farla tutta di marmi e di pietra intagliata». Doveva essere, diceva il decreto della Signoria, «tale che inventar non si possa né maggiore né più bella dall'industria e potere degli uomini». Il rivestimento sarebbe stato fatto con marmo bianco di Carrara, rosso di Siena, verde di Prato (involontario tricolore ante litteram). Troppo lusso, sghignazzò un veronese di passaggio, dove andrete a prendere tutti quei soldi? Per questo insulto alle finanze della città l'incauto fu arrestato, tenuto in prigione due mesi e rilasciato dopo essere stato portato a vedere le casse dell'erario, straripanti d'oro.

L'8 settembre 1296, giorno della natività di Maria (Dante ha trentun anni) il cardinale Pietro Duraguerra da Piperno, vicecancelliere della chiesa e legato di Bonifacio VIII in Toscana per scopi più politici che religiosi (il papa coltivava qualche mira su Firenze) benedisse a nome del pontefice la prima pietra del duomo. In ogni luogo di vendita e di scambio fu esposta al pubblico la cassetta per l'offerta del «denaro a Dio», che dava una sanzione spirituale alla conclusione dell'affare. Il papa mandò tremila fiorini, detraendoli dal monte delle usure, restituite dagli strozzini in punto di morte. A tutti, usurai e no, furono promesse indulgenze proporzionate all'importo. Si noti che la chiesa considerava usuraio chiunque imprestasse denaro, qualunque fosse il tasso. Irrigidita su posizioni aristoteliche che stabilivano *nummus nummum parere non potest* (il denaro non può generare denaro), essa condannava il prestito a interesse, in aperto contrasto con una società che si stava lanciando nella grande avventura mercantile e capitalistica. Perciò l'arricchito quando vedeva, in punto di morte, le fiamme dell'inferno spuntare in fondo al letto, si affrettava a destinare i suoi beni a opere di bene, sperando, se il medico non riusciva a salvargli la vita, di salvare, con l'aiuto del notaio, almeno l'anima. E quella dei mercanti era di più difficile salvataggio, giacché su di loro pesavano le pessimistiche previsioni della Bibbia: «a stento un mercante sarà esente da colpe, un rivenditore non sarà immune dal peccato... tra la compera e la vendita si insinua il peccato» (Siracide 26, 20; 27, 2).

Alcuni non attesero l'ultima ora per fare larghe donazioni, in espiazione delle loro colpe. Grandi peccatori, grandi cattedrali. Su ogni pagamento eseguito dal comune si applicò, pro fabbrica del duomo, una tassa di quattro denari per lira (il denaro era la duecentoquarantesima parte della lira, moneta di conto, che non era in circolazione, tanto alto era il suo valore, come oggi non esiste la banconota da un milione). Gli appaltatori delle gabelle versavano due denari per ogni lira incassata, una specie di Iva sacra che prevedeva multe astronomiche per i contravventori. Ai bestemmiatori furono inflitte, al posto delle penitenze materiali, pene pecuniarie, sempre a vantaggio del duomo, cosicché «molti blocchi di marmo di santa Maria del Fiore furono acquistati col ricavato delle bestemmie» (Davidsohn).

Ogni cittadino fu tassato per due soldi annui (il soldo era la ventesima parte della lira). L'unico esente da tasse fu l'architetto Arnolfo, al quale i fiorentini, fiscalmente parlando, non torsero un capello, per timore che si arrabbiasse e andasse a lavorare altrove. Arnolfo non usufruì a lungo dell'agevolazione, morì poco dopo. Siamo nel 1301; i Neri aiutati da Carlo di Valois, braccio militare di Bonifacio VIII, prendono il potere, i Bianchi scappano all'estero, Dante compreso. Le lotte civili, l'assedio posto alla città da Arrigo VII e altre vicende interrompono per lungo tempo i lavori.

Nel 1334, chiamato dall'arte della Lana, Giotto comincia il campanile. Nella Firenze del Trecento, questa corporazione era un formidabile organismo economico che influiva sulla vita della città, un «centro di potere» diremmo oggi. Dopo il fallito tentativo di gestione collegiale, con rotazione quinquennale, delle arti di Calimala, del cambio, di Por santa Maria, dei medici-speziali e della lana, la Signoria aveva deliberato di affidare la sovrintendenza della fabbrica a quest'ultima corporazione. Purtroppo

*nel trentasei, siccome piacque a Dio*
*Giotto morì, d'età di settant'anni*
*e 'n quella chiesa poi si seppellio*

c'informa il cronista-banditore-poeta fiorentino Antonio Pucci. Chi gli succederà? Si prega san Zanobi, che illumini gli amministratori. Ne ha fatti tanti di miracoli, il santo.

Durante la traslazione del corpo di Zanobi nella primitiva chiesa di santa Reparata, era scoppiato un temporale e tutti i fedeli si erano rifugiati nelle case vicine. Del lunghissimo corteo erano rimasti in strada soltanto i quattro portatori che, in mancanza di meglio, si ripararono con le preziose spoglie sotto un olmo rinsecchito, proprio in mezzo a piazza san Giovanni. Prodigio: l'albero si rivestì di foglie e l'improvviso ombrello vegetale protese i quattro dalla pioggia. Per dimostrargli la loro devota gratitudine i fiorentini collocarono i resti del santo in una tomba, scolpita dal Ghiberti.

Coi santi non lesinavano, ogni tanto si accaparravano un protettore. Se avevano, come patrono ufficiale, san Giovanni, gli dispiaceva accantonare Zanobi, tempestivo ombrellaio, senza contare Reparata, venerata per una fortuita occasione di calendario. Infatti i fiorentini, quando vincevano una battaglia, solevano dedicare una chiesa o un altare al santo del giorno del fausto evento. L'8 ottobre 405, con l'aiuto di Stilicone, vinsero il re barbaro Radagaiso, guardarono il calendario, lessero santa Reparata e dedicarono una chiesa a questa martire, uccisa a Cesarea di Palestina, sotto l'imperatore Decio. Anche se prima non l'avevano mai sentita nominare. Anche se non sapevano nulla della sua vita e della sua morte. Analogamente eressero in cattedrale due altari: a san Barnaba e a san Vittorio, eponimi del giorno in cui avevano sconfitto, rispettivamente, gli aretini (1289) e i pisani (1363). Orgogliosi delle loro imprese militari, ne eternarono in duomo i protagonisti. Nella navata sinistra, un affresco (staccato) di Andrea del Castagno ci presenta Nicolò da Tolentino, il capitano di ventura che li guidò contro i Visconti (ma poi finì male, i Visconti lo catturarono e lo gettarono in un burrone). Poco oltre, Paolo Uccello ci mostra in un affresco, pure questo staccato e riportato su tela, l'inglese John Hawkwood, detto Giovanni Acuto, che sventò il tentativo di Gian Galeazzo Visconti di conquistare la città, perciò i fiorentini gli decretarono, ancor vivo, un monumento in duomo.

La venerazione dei santi era così radicata da far concorrenza al buon Dio, sebbene i fiorentini non raggiungessero nell'allegro commercio di reliquie la disinvolta intraprendenza dei veneziani e dei genovesi. Nel 1319 troviamo che a Genova venne data in ipoteca la coppa del santo Graal, che si credeva avesse contenuto il sangue di Cristo. A Pisa, una corona di spine «puro Golgota» passava come pegno da una compagnia di mercanti ai forzieri d'una banca. Anche a Firenze arrivavano periodicamente ossa di apostoli e capelli della Madonna. Le clarisse possedevano il velo di santa Chiara e il mantello di san Francesco, miracoloso per gli spastici. Il bastone di san Giuseppe guariva i paralitici. Non c'era cappella, dice Franco Sacchetti, che non avesse un'ampolla con il latte della Vergine. Il convento di santa Maria Maddalena de' Pazzi, XVIII secolo, conservava i capelli della Madonna, e un po' di fieno della mangiatoia di

Betlemme. In questa farmacopea sacra ogni reliquia aveva una specifica funzione terapeutica, la cassa mutua della fede non negava ricette a nessuno. Le malattie prendevano il nome del santo che le guariva (chi ha la facoltà di togliere un male — si pensava — ha anche quella d'infliggerlo). Così la gotta si chiamò mal di san Mauro, la lebbra male di san Giobbe, santa Genoveffa curava gli occhi, san Bartolomeo le convulsioni, san Benedetto il mal della pietra, sant'Uberto la rabbia, san Cristoforo la peste e la cecità, sant'Apollonia il mal di denti.

Nel pio traffico di venerati cimeli i fiorentini, che di solito stanno dalla parte dei vittoriosi, dei dritti, fecero la figura dei fessi. Sentite come. Da tempo desideravano possedere le reliquie di Reparata, e saputo che il suo corpo era custodito in un convento di suore, a Teàno, deliberarono di comprarlo. O tutto o una porzione. Tramite il re di Napoli che aveva interposto i suoi buoni uffici, le suore, sebbene riluttanti, acconsentirono a cedere una mano o al massimo, dato che c'era di mezzo sua maestà, un braccio. Singhiozzando con teatrale disperazione, come chi sta per separarsi dalla cosa più cara al mondo, consegnarono agli ambasciatori, dopo averlo baciato e irrorato di roventi lacrime, il braccio destro, che fu accolto in Firenze con grandi festeggiamenti e collocato in duomo (22 giugno 1352). Passa qualche anno, la devozione cresce, bisogna costruire un reliquiario d'oro e d'argento, degno dell'arto miracoloso. Gli artefici vanno in chiesa a prendere le misure, lo toccano, lo palpano, scoprono che è di gesso (ottobre 1356). Le astute monachelle hanno fatto il bidone. E i fiorentini ingoiano il rospo, senza fiatare, per non gettare la loro disavventura in pasto alle mordaci lingue delle confinanti città toscane.

Ciò nonostante continuarono a voler bene all'antica patrona; e quando la sua chiesa, incapsulata nella nuova come una scatola cinese, fu abbattuta, continuarono a chiamare il nuovo tempio santa Reparata. E nel 1412, oltre un secolo dopo la posa della prima pietra, la Signoria minacciò gravi sanzioni a chi non chiamasse la cattedrale santa Maria del Fiore. Suvvia, avere speso tanti quattrini nella chiesa nuova, per poi sentirla chiamare con un nome vecchio!

Per la cupola fu bandito un concorso, premio unico duecento fiorini, agli altri concorrenti il «ristoro delle spese». Vinse Filippo Brunelleschi, un enciclopedico autodidatta, piccolo, brutto, che il padre voleva facesse il notaio, e riusciva bene in tante cose: architetto militare, ingegnere idraulico, perfino garbato verseggiatore. Quando nell'agosto 1418 espose in pubblico il suo rivoluzionario progetto di erigere la cupola senza impalcature, scatenò un uragano di risate. Lo credettero pazzo. Lui a insistere, a gridare, finché non lo portarono di peso fuori della stanza.

«Se sei tanto sicuro di te, perché non ci mostri il modello, come han fatto gli altri concorrenti?»

«Non ve lo mostro perché...»

«Perché nella testa hai solo fanfaluche.»

«Non ve lo mostro perché... Aspettate: chi di voi riesce a far stare dritto questo uovo?»

Tutti provarono, inutilmente. Venuto il suo turno, Filippo diede un colpettino sulla punta e l'uovo restò dritto sulla tavola.

«Ma così avremmo saputo fare anche noi» protestarono gli altri.

«Analogamente, se vi mostrassi il modello della mia cupola senza armatura, sareste capaci di copiarlo» concluse il Brunelleschi.

La stessa storiella fu poi attribuita a Colombo. A parte questo aneddoto, raccontato dal Vasari, il modello qualcuno deve averlo visto e apprezzato, perché l'incarico fu dato proprio a lui, al «pazzo». Il 7 agosto 1420 si cominciò a voltare la cupola, festeggiando l'evento con rancio speciale per i muratori: pane, poponi, un barile di vino rosso e fiaschi di trebbiano. Ma per tutta la durata dei lavori, a scanso di capogiri e infortuni, furono distribuiti fiaschi annacquati per un terzo. Il 25 marzo 1436, festa dell'Annunziata, papa Eugenio IV consacrò il tempio che tre anni dopo ospitò il concilio ecumenico, emigrato da Ferrara a causa della peste. Nella nuova cattedrale, presenti prelati greci, l'imperatore di Bisanzio Giovanni Paleologo e il papa, fu proclamata la riconciliazione, in verità molto labile, tra la chiesa romana e quella d'Oriente; risolta la controversia circa il purgatorio, l'eucaristia, il procedere dello Spirito Santo dal Padre e dal Figlio; sancito il primato del pontefice romano.

Nel 1461 fu costruita la lanterna. Ai primi del Cinquecento, Baccio d'Agnolo, capomastro dell'Opera del duomo, cominciò un ballatoio, in un lato dell'ottagono a base della cupola, interrotto per uno sprezzante giudizio di Michelangelo, che lo paragonò a una «gabbia di grilli». Del sommo artista, severo con gli altri non meno che con se stesso, ammiriamo nel duomo una *Pietà* incompiuta, fortunosamente arrivata a noi. Egli infatti l'aveva destinata alla distruzione, ma gli amici disobbedirono, come avevano fatto Vario e Tucca con l'*Eneide* che Virgilio, morente, voleva fosse data alle fiamme.

Tanto le opere della cupola quanto quelle della lanterna (e della facciata, costruita nel secolo scorso) erano seguite e discusse con calore dalla cittadinanza, che si appassionava ai vari problemi statici ed estetici e faceva sentire la sua opinione. Per la scelta delle colonne fu fatta una specie di referendum. Di solito la massa ha gusti grossolani, nelle cose d'arte la maggioranza «ha torto», non però a Firenze, popolo di vivace sensibilità estetica. E di grande rissosità politica. Così passionale da non arrestarsi davanti al sacrilegio più nefando. Aprile 1478: la congiura dei Pazzi, il grande fatto di cronaca nera, nera come l'inferno, un assassinio nella cattedrale. C'erano, al riguardo, dei precedenti illustri. Due anni prima, nel 1476, Galeazzo Maria Sforza ucciso dai congiurati a Milano, mentre entrava nella chiesa di santo Stefano. Tutti i maschi della potente famiglia Chiavelli ammazzati a Fabriano, il giorno dell'Ascensione del 1435, nella chiesa di san Venanzo mentre ascoltavano la messa. Tommaso Becket ucciso da quattro cavalieri, nella cattedrale di Canterbury, per ordine di Enrico II, re d'Inghilterra (1170). Il delitto non rispettava neanche gli altari.

I Pazzi odiavano i Medici per una faccenda di eredità, l'arcivescovo Francesco Salviati li odiava per la ritardata investitura della cattedrale arcivescovile di Pisa, Sisto IV soffiava sul fuoco, irritato con Lorenzo che ostacolava le ambizioni d'un suo parente. Bisognava dunque eliminare Lorenzo e il fratello Giuliano, dopodiché i Pazzi, ai quali il papa aveva già concesso la gestione della tesoreria pontificia tolta ai Medici, sarebbero diventati la più potente famiglia della città. Ma come fare? Primo progetto: ammazzare i due fratelli durante una festa, però Giuliano non viene, è malato. Allora il Salviati propone di agire durante un ricevimento in casa Medici, organizzato in onore del giovanissimo nipote del papa, Raffaele Riario, studente a Pisa e già cardinale. Prima si va tutti in duomo, stabilisce il programma, poi a palazzo Medici e qui, durante il banchetto, liquidiamo i due fratelli. Ma se per caso Giuliano anche questa volta non viene? È tanto debole di stomaco, può darsi che rinunci, in tal caso il piano va all'aria una seconda volta. Però in chiesa andrà sicuramente, e all'ultimo momento i congiurati modificano il programma: Lorenzo e Giuliano saranno ammazzati in santa Maria del Fiore, durante la messa, domenica 26 aprile. Segnale convenuto: il prete che alza l'ostia. Davanti all'empietà del crimine uno dei congiurati, il soldato di ventura Giovan Battista da Montesecco, è preso da scrupoli ignoti all'arcivescovo, e si ritira dall'impresa, subito rimpiazzato da un prete, Stefano di Bagnone, precettore di latino in casa Pazzi, e da Antonio Maffei da Volterra, vicario apostolico.

I congiurati vanno incontro ai due Medici, li abbracciano sulla porta stringendo forte per accertarsi se sotto portano la corazza, poi tutti s'inginocchiano nel coro ottagonale, presso l'altar maggiore. Secondo il Machiavelli, Giuliano sarebbe arrivato alla messa in ritardo, procurando ai congiurati un ulteriore motivo di ansia. All'elevazione, appena il celebrante pronuncia le parole dell'amore e del sacrificio divino *Hoc est corpus meum*, Bernardo Bandini balza su Giuliano trafiggendogli il petto col pugnale, il servo di Giuliano atterrito scappa, gli ecclesiastici Stefano e Antonio feriscono al collo Lorenzo che estrae la spada e si difende coraggiosamente, e menando fendenti guadagna la sagrestia, dove un amico gli succhia la ferita, temendola avvelenata. Un altro trascina dentro il moribondo Franco Nori, direttore commerciale della banca medicea, colpito da una stoccata.

Angelo Poliziano, il delicato poeta, si affretta a sbarrare le porte che Bandini, rimasto bloccato, non tocca nemmeno, non per riverenza verso le meravigliose sculture di Luca della Robbia, ma perché sono pesantissime, di bronzo. Urla, gemiti, parapiglia. Il popolo insorge gridando: «Palle, viva Palle», soprannome di Lorenzo. Un'ora dopo, sette congiurati penzolano dalle inferriate di Palazzo Vecchio, l'arcivescovo Salviati impiccato all'ingiù, secondo una tradizione inaugurata con Cola di Rienzo e ripresa più tardi con Mussolini.

Ma perché un assassinio in chiesa? Perché l'elevazione dell'ostia prescelta come segnale d'un delitto? L'opinione pubblica odierna, anche quella più marcatamente laica, respinge con unanime orrore l'idea d'un omicidio consumato in chiesa, come accadde il 24 marzo 1980, quando l'arcivescovo di San Salvador, monsignor Oscar Romero, fu abbattuto da una fucilata mentre celebrava la messa. A parte le personali convinzioni religiose, l'uomo d'oggi prova verso i luoghi di culto un senso di civile rispetto, talvolta anche una curiosità umana, e nella più gelida delle ipotesi un ossequio archeologico, frutto della netta separazione, operata dall'età moderna, tra la sfera del sacro e quella del profano. Nei secoli passati, abbiamo visto, la casa di Dio era usata anche per scopi non religiosi. O addirittura vietati dalla religione.

Nel 1314, cacciato da Firenze Gualtieri di Brienne, i grandi e i popolani si riunirono nella cattedrale ancora in costruzione per decidere la formazione del nuovo governo. A Milano, nel 1347, la chiesa del santo Sepolcro ospitò un congresso dei fustagnari, riuniti a discutere la grave carenza di materia prima che paralizzava la produzione. Giovanni Boccaccio nella chiesa fiorentina di santo Stefano di Badia tenne lezioni di letteratura, commentando la *Divina Commedia*. I nostri maggiori poeti s'innamorarono in chiesa. La galanteria del porgere l'acqua benedetta preludeva a una dichiarazione d'amore. E, come abbiamo visto a Chartres, si andò ben oltre. Sotto l'atrio di san Marco le prostitute adescavano i clienti. «Intesi dire da molte persone divote che la chiesa di san Salvador sia diventata un postribolo [...] lo stesso succede in altro modo nella chiesa ducale di san Marco, dove li sbirri di Messer Grande e il Vizio [il vice] si ritirarono nelle parti rimote della chiesa suddetta a trattare con donne che sono tutt'altro che oneste» denunciò in data 28 giugno 1771 Camillo Pasini, confidente degli Inquisitori di Stato. A Bologna, nel 1541, un uomo e una donna furono pubblicamente legati in catene perché scoperti a fare l'amore nella chiesa di san Pietro, dentro un confessionale. Nel 1327 il vescovo di Firenze ordinò di chiudere di sera tutte le chiese, per impedire che diventassero teatro di fatti immorali e vi si vendessero vino e cibarie.

Un furente vitalismo, un individualismo emotivo e spavaldo impedivano a quelle generazioni manichee e melodrammatiche di afferrare nelle cose il senso dell'opportunità, del limite, del ridicolo, Prevalevano i toni crudi e violenti, niente sfumature né autoironie. «Così cruda e variopinta era la vita che essa poteva spirare in un medesimo istante l'odore di sangue e di rose», scrive Huizinga. Così non si esitava a mobilitare una mezza dozzina di santi prima di andare alla battaglia, al duello o a un convegno d'amore. Francesco I, re di Francia, per recarsi agli appuntamenti con la moglie d'un avvocato di Parigi doveva passare attraverso una chiesa, e ogni volta rivolgeva, racconta Montaigne, una preghiera al Signore. Che andasse tutto bene?

Nella guerra, nel commercio, nell'amore, guelfi contro ghibellini, creditori contro debitori, mogli infedeli contro mariti ingenui, tutti invocavano l'aiuto di Dio. Il vescovo-conte diceva messa sul campo di battaglia, il mercante arricchito fondava conventi, il guerriero sotto la corazza portava il cilicio. Si ammazzava e si perdonava sempre nel nome del Signore. «Se desiderate sapere che cosa è stato fatto dei nemici trovati a Gerusalemme» scrisse Goffredo di Buglione al papa, finita la prima crociata «sappiate che nel portico di Salomone e nel tempio i nostri cavalcavano nel sangue dei saraceni e che esso giungeva fino alle ginocchia delle loro cavalcature.» Sanguinari e devoti, in loro ardeva il fuoco d'una fede esclusivista che l'uomo moderno non riesce più a condividere, perché quel Dio e quei santi erano di parte e venivano innalzati sugli stendardi, osannati nelle processioni, a patto che rispettassero il *do ut des*, concedendo vittorie e guadagni.

Dopo la cacciata dei ghibellini da Firenze, fu inserito

nelle litanie il versetto *ut domum Ubertam eradicare et disperdere digneris* cui il popolo rispondeva *te rogamus, audi nos* (affinché ti degni di sradicare e disperdere la casa degli Uberti noi ti preghiamo, ascoltaci). Invocazione poco cristiana, poco ecumenica, che presupponeva un Dio guerriero e partigiano come gli oranti. *Gott mit uns*, Dio è con noi, con la nostra fazione. Gli altri sono il diavolo. Per il cardinal Salviati e per i Pazzi, i due Medici erano il diavolo e Dio non poteva non benedire l'impresa, considerato anche il fatto che veniva compiuta proprio in casa sua.

Dopo la congiura, i Pazzi furono detestati al punto che fu sospesa per qualche tempo la festa del fuoco pasquale, nella quale essi avevano il privilegio di allestire il tradizionale «scoppio del carro». L'usanza risaliva alle crociate. La tradizione vuole che Pazzino de' Pazzi (secondo altri Pazzo di Rinieri) fosse il primo a scalare le mura di Gerusalemme, caduta sotto gli assalti di Goffredo di Buglione nel 1099, il quale gli avrebbe donato come meritata decorazione due schegge della muraglia da lui audacemente violata. Questi frammenti di pietra, oggi conservati nella chiesa dei Santi Apostoli, sfregati tra loro generavano la scintilla che incendiava, nel giorno del sabato santo, il carro «dello scoppio».

Il rito continua anche oggi. Un gran carro ornato a festa viene parcheggiato tra il duomo e il battistero, circondato da migliaia di turisti pronti a salutare con gli stessi oh di meraviglia tanto le porte del Ghiberti quanto i fuochi d'artificio. Difatti, appena suona il *Gloria*, dall'interno del duomo e precisamente dall'altar maggiore parte a razzo, appeso a un filo, un fuoco in forma di colombina che piomba sul carro e accende centinaia di mortaretti, per annunciare con un luminoso frastuono di scoppi la resurrezione di Cristo. Dopodiché entra in funzione un retrorazzo e la «colombina» torna sull'altar maggiore. Dal suo comportamento i contadini traggono l'oroscopo per il raccolto. Se la «colombina» non riesce ad accendere tutti i mortaretti, arriva un pompiere e li accende lui. Ma i contadini s'allontanano brontolando che quest'anno si farà poco grano, poca uva. E giù una bestemmia.

◊

# Assediati dai ghibellini
# i guelfi in San Lorenzo

◊

I romani indicavano con *domus* l'abitazione di tipo civile e con *casa* la capanna, il tugurio. Nel medioevo il peggioramento delle condizioni di vita, il rallentare delle attività economiche, i ricorrenti flagelli della guerra, della carestia, della pestilenza ridussero di numero, fin quasi a farle scomparire, le *domus* di pietre e di marmo, moltiplicando le *casae* di legno e di fango. Fino al Mille, e oltre, le sole costruzioni in muratura furono i castelli e le chiese. Anche le abitazioni dei ricchi spesso erano di legno, esposte ai frequenti incendi colposi e dolosi. Nella città la chiesa si distingueva per la superba mole e la salda struttura, e soltanto essa meritò il nome di *domus*, in mezzo a una miseranda distesa di *casae*. Da allora si chiamò duomo, da *domus*, la dimora di Dio, e casa quella degli uomini. Anche sul piano semantico il medioevo dava la precedenza all'aldilà.

Dove sorgono più chiese, spetta il titolo di cattedrale a quella più importante gerarchicamente, sede del vescovo che vi ha il suo trono o «cattedra» e spesso anche la tomba. Essa è metropolitana, primaziale o patriarcale secondo che vi risieda un metropolita (arcivescovo con giurisdizione su un certo numero di vescovi), un primate (il vescovo della sede più importante d'ogni nazione, che per fare qualche esempio è Toledo in Spagna, Salisburgo in Austria, Malines in Belgio) o un patriarca, titolo puramente onorifico, che dà diritto alla precedenza sui primati.

Non è detto che la cattedrale debba essere la chiesa più bella, più grande, più famosa della città o della diocesi. Talora sorge in luogo elevato, dominante, sovrapposta a vecchi templi pagani; più spesso (val Padana) compare nel cuore dell'abitato, determinandone il futuro sviluppo urbanistico e civile, vicino a essa sorgono gli edifici pubblici, taverne e botteghe, si allarga la piazza del mercato, si contrattano affari, basta varcare un portale gotico per udire, invece delle grida dei mercanti, il salmodiare dei canonici. Se qualcuno ha venduto per sana la mucca malata, c'è sempre pronto, dentro il confessionale, un prete che l'assolverà.

Le cattedrali dei primi secoli sorgevano in periferia o fuori dell'abitato, per varie ragioni: sottrarsi alle persecuzioni dei pagani; evitare il costo eccessivo delle aree nei centri urbani, non sopportabile da una chiesa, allora, evangelicamente povera; servire contemporaneamente i fedeli di città e di campagna. Col passare dei secoli, la cattedrale «entra» in città o per il dilatarsi della pianta urbana che la congloba dentro di sé (si pensi al milanese sant'Ambrogio che, «fuori di mano» al tempo del poeta Giuseppe Giusti, adesso si trova in centro) o per il prevalere di una nuova sede, giudicata più idonea alle esigenze della comunità. È questo il caso di Genova, la cui protocattedrale di san Siro, detta dei Dodici Apostoli, si trovava fuori della cinta muraria, e fu soppiantata, nel IX-X secolo, da san Lorenzo, una chiesa estiva, all'uso milanese, totalmente ricostruita in forme romaniche al tempo della prima crociata, quando i genovesi portarono dall'Oriente le reliquie di san Giovanni Battista.

A dire il vero, san Giovanni era un ripiego. Loro avrebbero preferito san Nicola, vescovo di Mira (IV secolo) un taumaturgo che, se Gutenberg fosse nato prima, avrebbe fatto la fortuna dei rotocalchi. Nicola aveva salvato dalla prostituzione tre fanciulle, molto belle e altrettanto povere, inviando loro per tre notti, attraverso una finestra, sacchetti d'oro e meritandosi una citazione di Dante nel canto ventesimo del *Purgatorio*:

> *Esso parlava ancor de la larghezza*
> *che fece Niccolò a le pulcelle*
> *per condurre ad onor lor giovinezza.*

Per questo gesto fu sempre considerato protettore dei fanciulli, cui reca doni la vigilia della sua festa, diventando nel folclore anglosassone santa Claus, corruzione di *sanctus Nicolaus*. Inoltre aveva placato il mare in tempesta, guadagnandosi l'epiteto di Posidone cristiano. Aveva schiaffeggiato al concilio di Nicea il prete Ario che negava la consustanzialità del Padre e del Figlio. Aveva risuscitato tre giovani, tagliati a pezzi da un cuoco crudele e messi in salamoia. Di Nicola insomma si raccontavano mirabilia, e per impadronirsi dei suoi resti mortali sepolti in Oriente, nella chiesa di Syon, su un colle presso Mira (oggi Stamira), quasi di fronte a Cipro, già si erano mossi veneziani e baresi, accaniti cacciatori di corpi santi.

Quando Urbano II, agitando per vessillo una croce rossa in campo bianco, bandì la prima crociata, i primi ad accorrere furono i genovesi, anche perché era un'ottima occasione per ripulire i mari dai pirati saraceni, mentre le altre repubbliche marinare si mossero con guardingo ritardo. Salparono in quattromila, con dodici galee, come privati cittadini, senza impegnare ufficialmente la città, il comune non era ancora nato, e stava facendo i primi passi la «Compagna dei cittadini», un sorta di comune *in nuce*. Ma il bottino che si sperava di fare era già assegnato, in partenza, a san Lorenzo, cioè al vescovo. E presa Antiochia (1098), ebbero in compenso una chiesa con fondaco e un pozzo con trenta case.

I genovesi tornarono in Terrasanta nel 1099, partecipando all'assedio di Gerusalemme. E fu un genovese, Guglielmo Embriaco, detto Testa di maglio, a costruire una torre smontabile, di legno, mediante la quale fu iniziata la conquista della città. Guglielmo faceva paura solo a vederlo. «Tu vuoi salire», gli disse filosoficamente un nemico, «io voglio fare il contrario, scendere. Perché azzuffarci?» E si lasciarono in pace. A compenso di queste benemerenze religiose i genovesi si aspettavano dunque il concreto favore del cielo, ma quando giunsero alla chiesa di Syon per prelevare il corpo di Nicola, i monaci risposero che erano già venuti a prenderselo i baresi, nel 1087. Non credendo a questa spiegazione, i genovesi scavarono sotto l'altar maggiore, trovarono un'urna e, senza aprirla, la portarono di corsa alla nave.

«Vi sbagliate, quella non contiene il corpo di Nicola» gridarono i monaci inseguendoli col fiatone.

«E allora, che cosa contiene?»

«Le ceneri del Battista, non è il santo che cercate voi, per l'amor del cielo, restituitecelo.»

«Tanto meglio. È un santo che vale di più.»

Caricata l'urna sulla nave, fecero vela verso casa. Gli allibiti monaci non avevano sospettato che nei genovesi il senso degli affari investiva anche la sfera del sacro.

Appena arrivata la santa reliquia, Genova deliberò di ricostruire ex novo la cattedrale di san Lorenzo, un po' perché abbisognava di radicali restauri, un po' per dare una sede degna alle ceneri del precursore di Cristo, un po' per non essere da meno delle altre città che stavano costruendo chiese sontuose in tutto l'Occidente cristiano (1030 cattedrale di Spira, 1050 cattedrale di Le Puy, 1063 cattedrale di Pisa, 1075 san Giacomo di Compostella, 1079 Winchester, 1087 San Nicola di Bari, 1099 duomo di Modena, 1131 Cefalù, 1153 Noyon, 1163 Notre-Dame di Parigi, 1175 Canterbury).

La mano d'opera non costava molto, i muratori non avevano pretese sindacali, sapevano di lavorare per un Datore di lavoro che non paga il sabato. Per gli infortuni confidavano nella Provvidenza. Gli ex voto che si vedono in molte chiese mostrano un santo che afferra con la mano l'operaio precipitato dall'impalcatura, o le fiamme che si aprono a forbice, senza nemmeno toccare il dormiente nel letto, sopra il quale brilla l'immagine della Madonna. «Il miracolo nel medioevo» osserva argutamente Jacques Le Goff, «occupa il posto della previdenza sociale.»

Anche la cattedrale di Genova svolse come tutte le altre una duplice funzione, spirituale e civile, luogo di culto divino e di assemblee popolari, per il semplice motivo che fino alla metà del Duecento il comune non ebbe sede propria. Qui si stipulavano alleanze, si amministrava la giustizia, si celebravano le vittorie, si concedevano investiture. Terminati i lavori di ricostruzione, durati una ventina d'anni, i genovesi collocarono nella cattedrale il Sacro catino (santo Graal) che, usato da Cristo secondo la tradizione nell'Ultima cena, raccolse dopo la crocifissione le stille di sangue uscite dal suo costato. Se l'erano procurato durante la prima crociata assieme ad altri benefici meno spirituali: un quartiere a Gerusalemme, il possesso di un terzo delle terre conquistate in futuro, l'esenzione dai dazi. Questa coppa di cristallo verde, per lungo tempo creduta di smeraldo, proveniva da Cesarea, la città dove Guglielmo Embriaco era entrato per primo:

> Tornò Guglielmo Embriaco recando
> ai consoli giurati, in sul cuscino
> tra la sesta e il bastone di comando,
> tra la coltella e il regolo, il catino
> ove Giuseppe e Nicodemo accolto
> aveano il sangue dell'Amor divino

canta D'Annunzio nella *Merope*.

La chiesa, in stile romanico, fu consacrata nel 1118 da Gelasio II, il papa che diede ai genovesi uno dei più grossi dispiaceri della loro storia. Bisogna premettere a questo punto che Pisa era sede arcivescovile e Genova no. Pisa aveva giurisdizione sulle diocesi della Corsica, Genova no. Essa era una delle tante diocesi soggette all'arcivescovado di Milano. Proprio nell'anno in cui venne a consacrare san Lorenzo, papa Gelasio rinnovò a Pisa il privilegio sulla Corsica, irritando i genovesi i quali non pretendevano per sé la dignità arcivescovile, ma che almeno fosse tolta ai pisani. L'apparente vanità campanilistica mascherava profonde ragioni pratiche, si aspirava al primato ecclesiastico perché dietro quello marciava il primato economico. I genovesi, che sapevano leggere con pari interesse il Vangelo e la partita doppia, miravano a estendere la loro influenza sulle isole del Tirreno, ma sapevano pure che la loro colonizzazione passava attraverso la curia.

Le simpatie di Gelasio andavano a Pisa per una ragione umanamente comprensibile. Appena elevato al trono di Pietro, era stato afferrato per la gola dal ghibellino Frangipane e dovette fuggire da Roma per nave, col mare grosso, approdando fortunatamente a Pisa, portato a spalle da un cardinale. I pisani l'accolsero trionfalmente, Gelasio restò commosso, sono cose che non si dimenticano, e per sdebitarsi concesse a Pisa la dignità metropolitana su tutta la Corsica. La reazione ligure non si fece attendere, Genova bloccò in mare i vescovi còrsi che si recavano a Pisa a farsi consacrare, scoppiò una guerra che durò tredici anni, i genovesi assalirono Pisa con ottanta galee, sessanta navigli, ventiduemila combattenti, risalendo l'Arno per alcuni chilometri. Nel frattempo spedirono ambasciatori a Roma, muniti di bustarelle per corrompere i cardinali.

Per tacitare i genovesi, Gelasio aveva colmato di indulgenze la nuova cattedrale, ma loro non si accontentarono. Chi aveva dato il più valido contributo alla liberazione del Santo Sepolcro? I genovesi. Quando Goffredo di Buglione si era trovato a corto di legname per fabbricare macchine d'assedio, chi aveva generosamente offerto il legno delle loro galee per farne catapulte? I genovesi. E adesso si voleva trattarli con tanta ingratitudine? Il sinodo lateranense del 1123 esaminò la contesa, ascoltando le parti.

Parlò per primo Ruggero, arcivescovo di Pisa:

«Pisa si è sempre battuta per la religione, spetta a noi nominare i vescovi della Corsica.»

Ribatté Caffaro, ambasciatore genovese:

«È vero, i pisani parteciparono alla difesa della fede, ma primi sono stati i genovesi, secondi i pisani, non viceversa. Genova, non Pisa, è la figlia primogenita di Roma.»

Per risolvere l'arduo problema anagrafico il papa, che era il successore di Gelasio, Callisto II (l'artefice del concordato di Worms), nominò una commissione, la quale diede ragione a Genova, abolendo il privilegio di Pisa. L'arcivescovo Ruggero si sfilò anello e mitra, gettandoli ai piedi del papa:

«Non sarò mai più tuo arcivescovo e vescovo» disse con disprezzo.

«Male tu operi, fratello, e io te ne farò pentire» rispose Callisto.

La delegazione pisana uscì a muso duro, senza salutare nessuno, quella genovese si tuffò a baciare la santa pantofola. Qualche anno più tardi (patto di Grosseto, 1133), Innocenzo II concesse anche a Genova la dignità arcivescovile, divise in due la Corsica, assegnando tre diocesi alla giurisdizione pisana, tre a quella ligure. Intanto Genova dedicava ogni cura ad arricchire e abbellire san Lorenzo, a favore del quale furono istituiti balzelli sui testamenti, sulle importazioni di merci da terra, i canonici dovettero versare metà delle loro decime, il che è perfettamente comprensibile, un po' meno comprensibile è che la tassa pro duomo abbia colpito anche gli ebrei, che ai santi non credevano affatto. Uno scultore svizzero, incarcerato per porto d'armi abusivo, fu rimesso in libertà purché lavorasse al duomo, gratis. Ogni anno il comune offriva un pallio d'oro all'altare del Battista, nel giorno della sua natività. Davanti alla sua urna pregarono in ginocchio i capitani prima di partire per una spedizione. Che non sempre era approvata dal papa. Tuttavia ai genovesi bastava che fosse approvata dalla coppia Giovanni-Lorenzo, o almeno così s'illudevano.

Il 10 luglio 1261 podestà, capitano del popolo e rappresentanti delle arti e mestieri ratificarono il trattato di Ninfeo, stipulato con Michele Paleologo contro Baldovino, imperatore latino d'Oriente. Paleologo offriva condizioni allettanti: libertà assoluta di commercio se i genovesi l'avessero aiutato a scalzare da Costantinopoli Baldovino, imperatore-fantoccio dei veneziani; divieto a tutti i nemici di Genova di accedere al mar Nero; un quartiere a Smirne; ogni anno dono d'un pallio d'oro all'arcivescovo.

Ma il Paleologo era scismatico, quindi nemico della Chiesa, perciò Urbano IV intimò a Genova di rompere il patto, pena l'interdetto. Minacciò addirittura una crociata. Confidando, alla lettera, nei soliti santi in paradiso, i genovesi disobbedirono al papa e inviarono a Costantinopoli un'armata che giunse sul posto a guerra finita, quando il Paleologo era già entrato in città. Bastò la mossa. Il pontefice lanciò l'interdetto su Genova. Dalle pareti delle chiese furono tolte le croci e le immagini, stese sul pavimento e coperte con un velo nero. Nessuno poteva toccarle, né prete né laico. Si poteva celebrare una sola messa, presente soltanto il clero. Negati a tutti i sacramenti, tranne il battesimo e, ai moribondi, la confessione. Vietato il suono delle campane, proibito ogni genere di divertimenti e di spettacoli, chiuse le macellerie.

L'interdetto colpiva un'intera comunità, a differenza della scomunica che era una punizione personale; ma l'uno e l'altra, col passar del tempo e il disinvolto abuso, perdettero efficacia, nonostante la cupa suggestione del rituale. «Siano maledetti sempre e dovunque» intimava il vescovo pronunciando l'anatema nella chiesa parata di nero, «siano maledetti di giorno e di notte e in ogni momento; siano maledetti quando dormono, quando mangiano, quando bevono; siano maledetti se tacciono e se parlano; siano maledetti dalla sommità del capo fino alla estremità dei piedi. I loro occhi non vedano, le loro orecchie non sentano, la loro bocca diventi muta, la loro lingua aderisca al palato, le loro mani e i loro piedi non si muovano più. Tutte le membra del loro corpo siano maledette; siano maledetti in piedi, coricati e seduti. Siano sepolti con i cani e gli asini; i lupi divorino i loro cadaveri. E come si spengono oggi queste candele dalle nostre mani, la luce della loro vita si spenga per sempre, a meno che non si pentano.» Il vescovo a questo punto rovesciava a terra le candele, schiacciando la fiamma sotto i piedi.

Il realismo dei genovesi, come del resto quello dei veneziani, non s'impressionava per gli anatemi. Il loro «deviazionismo» era di natura politico-commerciale, non toccava mai la fede e la dottrina. Quando si tratta di rifare la facciata, distrutta da un terremoto, la rifanno in bellissimo stile gotico, senza badare a spese. In un certo momento, pur essendo impegnati con i lavori del porto, deliberano di dare la precedenza alla cappella del Battista, perché è più importante tenersi buono il cielo. Il molo può attendere. Ma se l'interesse contingente lo esige, non esitano a fare l'occhiolino ai turchi, agli infedeli, mica per simpatia verso di loro, ma per odio contro i veneziani.

Nelle colonie orientali qualche genovese si schierò con i turchi e Giovanni XXII bollò quei liguri «che portavano le esecrande insegne di Maometto». E pensare che due secoli prima avevano sacrificato le galee per prendere Gerusalemme, meritandosi sull'altare del Santo Sepolcro una lapide esaltante il *Praepotens Genuensium praesidium*, potentissimo presidio dei genovesi.

Nel 1416 l'ammiraglio veneto Pietro Loredan, vinta l'armata turca ai Dardanelli e trovati dei genovesi tra i prigionieri, li impiccò immediatamente per dare un esempio «a questi cattivi cristiani». Nella loro machiavellica spregiudicatezza, che tanti dispiaceri procurava al papa, i liguri inviarono per mezzo dell'ambasciatore «al sultano: ventiquattro vesti di velluto a trentatré palmi per veste; dodici vesti di raso in colore; dodici vesti di damasco; quattro vesti di panno paonazzo; quattro vesti di scarlatto, quattro di broccato d'oro; due pezze di damasco e raso bianco; quarantotto fodere per dette vesti. Ai quattro pascià: sei vestiti per uno (due di velluto, due di raso, due di damasco con fodere). Al dragomanno: due vesti, una di raso e una di damasco, eccetera».

Tutto ciò non illanguidì l'amore dei genovesi per san Lorenzo, e quando lo scoppio d'una fabbrica di polvere vicina alla chiesa ne mise in forse la stabilità, fu un concorso affannoso e generoso di iniziative per gli immediati restauri. Jacopo Carlone (1550) ebbe dal doge, con l'incarico di ricercare i marmi, una lettera di presentazione che rivela la sollecitudine delle autorità per le sorti del tempio. Essa dice: «Avendo a riparare et restaurare la chiesa nostra cattedrale di san Lorenzo che ruina di verso i tetti in la cui reparazione sarà necessario et espediente trovar qualche pietra da fare et fasciar pilastri, increstar li muri e fare anche il pavimento di detta chiesa, mandemo il nostro Jacopo Carlone scultore per rivedere quei lochi ovunque sii, e si possa far cave di pietre della qualità che siano convenienti a una casa di Dio e ad un tempio, tale quale è il domo di Genova, e comandemo e ordinemo ad ogni nostro Capitano, Podestà e Giusdicente che non solamente permettino in ogni loco della giurisdizione nostra cercar delle cave di pietre, ma li presti ogni agiutto, comando e favor espediente e necessario acciocché possi eseguir la commissione».

Un occhio all'Oriente, un occhio al cielo, «strabismo» innocuo perché lasciava impregiudicato il dogma. Sebbene navigassero e trafficassero in mezzo mondo, i genovesi passarono indenni fra le tempeste delle eresie e degli scismi. All'Inquisizione fornirono scarso lavoro. Gente pratica, positiva, non bazzicò l'arianesimo né le sette patarine. I papi fuggiaschi, per una ragione o l'altra, da Roma, trovarono a Genova rifugio sicuro. Il genovese Sinibaldo Fieschi, diventato Innocenzo IV, per sottrarsi alle minacce di Federico II fuggì da Roma a Lione, vi convocò un concilio che scomunicò e depose l'imperatore, poi andò nella diletta Genova, ad appendere trentasei lampadari d'argento all'altare del Battista. Nel 1385 Urbano VI, minacciato dalle truppe dell'antipapa Clemente VII, riparò nella città ligure con le galee gentilmente offerte dalla repubblica. Il fuggiasco pontefice conduceva con sé, in catene, alcuni cardinali ribelli, che pare siano finiti in mare, chiusi entro sacchi di cuoio. Rientrato a Roma, il papa ripagò la cortesia donando castelli a Genova e cospicue indulgenze a chi, nel giorno di san Giovanni Battista, visitava la cattedrale.

Visitiamola anche noi. La facciata, rifatta gotica nel XIII secolo, presenta eleganti fasce orizzontali in marmo a due colori. Nella lunetta del portale maggiore, il martirio di san Lorenzo che sostò a Genova durante un viaggio dalla Spagna a Roma e proprio nel luogo dove lui alloggiò sorse, secondo la leggenda, la chiesa a lui dedicata. Lorenzo era diacono e fu arrestato a Roma il 6 agosto 258 assieme ad altri cristiani, ma a differenza di quelli non fu ucciso subito. Le autorità imperiali sapevano che custodiva il tesoro della comunità e per farsene rivelare l'ubicazione, siccome Lorenzo non apriva bocca, lo misero ad arrostire su una graticola. Soltanto allora il martire si decise a parlare. Oramai prossimo a morire, nello spasimo dell'agonia supplicò i carnefici: «Da questa parte sono cotto, giratemi dall'altra».

L'interno ha tre navate; delle cappelle la più sontuosa è senza dubbio quella del Battista. Famosi sovrani s'inginocchiarono davanti all'urna delle sue ceneri: il Barbarossa dopo la battaglia di Legnano; Alessandro III, alleato dei comuni che l'avevano sconfitto; Arrigo VII di Lussemburgo, amico di Dante, fece dire una messa in suffragio della moglie Margherita di Brabante, qui morta di peste. L'altare, cinquecentesco, fu ordinato e pagato da Filippo Doria. Nella navata sinistra, un affresco rappresenta san Giorgio, uno dei protettori di Genova, che uccide il drago. Genova si chiamava anche Repubblica di san Giorgio e nel suo nome sfidò la grande rivale Venezia, repubblica di san Marco. Nel nome dei due santi si azzuffavano sul mare veneti e liguri, fermamente convinti che altrettanto facessero in cielo i rispettivi patroni. L'altar maggiore è dominato dalla statua bronzea di Maria Immacolata (1632) sotto la quale due angeli sostengono in volo un bassorilievo in bronzo con la pianta urbana della città nel XVII secolo. «Città di Maria santissima» è chiamata Genova in alcuni documenti ufficiali. «Viva Maria» gridò ai tempi della Rivoluzione francese la plebe contro i giacobini anticlericali. Come stemma della repubblica i genovesi adottarono la croce rossa in campo bianco, vessillo dato da Urbano II ai militi della prima crociata. Lo stemma domina il grande arco dell'abside. Ai lati dell'altar maggiore, le statue degli evangelisti, tra cui san Giovanni eseguito dal frate Giovanni Angelo Montorsoli, artista di gusto michelangiolesco, che avrebbe raffigurato nell'evangelista il proprio protettore, Andrea Doria.

Nel museo del Tesoro (sotto il cortile dell'arcivescovado) va segnalato, tra le cose notevoli, il Sacro catino dell'Ultima cena, vetro romano del I secolo. Reliquia talmente preziosa che nel 1319, occorrendogli denaro per allestire opere di difesa, il comune la diede in garanzia d'un prestito. Prestatore era il cardinale Luca Fieschi, abate di Santa Maria in Via Lata, che anticipò di sua tasca novemilacinquecento genovini, moneta di grammi tre e mezzo d'oro, ricevendo in garanzia la *sacra scutela*. Otto anni dopo il Comune la riscattò assegnando al cardinale, uomo d'affari non meno che di fede, congrue rendite. Altri oggetti di grande interesse: l'arca del Barbarossa, il piatto in calcedonio su cui vuole la leggenda che sia stata posata la testa del Battista, decapitato da Erode per compiacere Salomè; il piviale erroneamente attribuito a papa Gelasio; l'arca per le ceneri del Battista, d'argento dorato; il reliquiario della Sacra Spina, probabile dono di Napoleone.

Nel turbinoso fluire dei secoli, i genovesi hanno sempre visto san Lorenzo testimone e partecipe delle loro vicende,

dal comune glorioso alle dissennate lotte intestine, alla dominazione straniera, fino ai proiettili caduti sul duomo durante la seconda guerra mondiale, nel bombardamento na-
vale del 9 febbraio 1941. E l'hanno coinvolto, compromesso
nelle loro feroci fazioni. In una delle solite guerriglie tra i
guelfi Fieschi e Grimaldi, e i ghibellini Spinola e Doria (det-
ti Rampini i primi, Mascherati i secondi), col consueto sce-
nario di torri crollanti e case incendiate, i guelfi si chiusero
nella cattedrale, trasformata in roccaforte, il tempio prese
fuoco e il tetto crollò. Dopo una quarantina di giorni, il 7
febbraio 1296, i ghibellini cacciarono dalla chiesa e dalla città gli avversari, conquistando il potere. Restava da aggiustare san Lorenzo, quindici anni di lavori: gli archi e le colonne dell'ordine inferiore, guastati dalle fiamme, furono
sostituiti tenendo puntellate, con tecnica audace, le strutture
dell'ordine superiore (questo spiega perché abbiamo, sotto,
archi ogivali e sopra a tutto sesto). Le offese recate dagli uomini o dalla natura venivano cancellate con solleciti restauri
e generosi ex voto. Navigatori e condottieri, reduci da
un'impresa, portavano a san Lorenzo trofei e doni cospicui.
Quando accorsero in aiuto del giudice Mariano di Lacone,
cacciato da Cagliari, i genovesi si fecero dare sei fattorie e
alcune libbre d'oro, sempre per la cattedrale. Ad essa la potente famiglia degli Zaccaria donò una croce bizantina d'o-
ro, gemme e perle, contenente un frammento della Croce.
Chi ha detto che i marinai non mantengono le promesse?

◊

# Un duomo ex voto
# per l'erede del Visconti

◊

«Se al tuo sguardo si presenterà un bosco folto d'alberi secolari altissimi, che con l'intrico dei rami protesi t'impedirà di alzare la vista al cielo, la maestosità di quella foresta, la solitudine del luogo, lo spettacolo meraviglioso di quell'ombra così fitta e ininterrotta in mezzo all'aperta campagna ti faranno credere alla presenza d'un dio.»

Così Seneca nella quarantunesima lettera a Lucilio.

I pagani antichi sentirono la sacralità delle foreste, che immaginarono popolate di ninfe, driadi e amadriadi. I cristiani del medioevo le convertirono in cattedrali, i tronchi di legno divennero ardite colonne di marmo, le fronde capitelli e volte rabescate, e dall'alto una luce arcana, scherzando tra le vetrate come il sole tra i rami, traforò l'immobile penombra di quel bosco pietrificato. Nacquero così le chiese gotiche di Francia e di Germania, e nacque il duomo di Milano, modellato su quegli schemi transalpini quasi ad anticipare, nell'autunno del medioevo, la vocazione europea della città lombarda.

Medioevo «enorme e delicato», nel quale la ferocia e la dolcezza, la vendetta e la pietà, l'ascetismo e la baldoria convivevano in pittoresca e per noi inconcepibile promiscuità; e i Visconti, per farsi perdonare le cattive usanze della loro casa, abituata a consumare più veleni che sale da cucina, ogni tanto costruivano, in penitenza dei loro peccati, splendide chiese. Fu così che Gian Galeazzo mandò uomini di fiducia a dare un'occhiata alle cattedrali di Colonia, Reims, Amiens. La repubblica di Venezia aveva già il prestigioso san Marco, Orvieto la cattedrale nuova di zecca, i fiorentini da un secolo lavoravano attorno a santa Maria del

Fiore. Gian Galeazzo ambiva a creare uno Stato nazionale italiano e diventare, chissà, re d'Italia; bisognava quindi preparare una chiesa degna della futura capitale, e non solo morale, del vagheggiato regno.

Secondo Bonvesin da la Riva, un frate innamorato della sua città, Milano meritava addirittura di ospitare la sede pontificia, tanto era ricca e prestigiosa. Nel suo *De magnalibus urbis Mediolani* ossia *Le meraviglie dalla città di Milano* (1288), ne aveva tessuto un appassionato elogio attribuendole, con qualche esagerazione, duecentomila abitanti, trecento forni, settanta scuole elementari, dieci ospedali, centoventi giureconsulti, millecinquecento notai, novecento mulini nel contado, floride fabbriche d'armi e di seta: i tessuti si esportavano fino al paese dei tartari. Ottomila destrieri e centomila cani fornivano alla nobiltà piacevoli svaghi. Mancava soltanto la cattedrale, che vincesse in splendore le duecento chiese esistenti in città.

Gian Galeazzo era chiamato conte di Virtù, dal feudo di Vertus portatogli in dote dalla prima moglie, Isabella di Valois, ma virtù cristiane ne aveva poche. Un giorno del 1385 mandò a dire allo zio Bernabò: «Il 6 maggio vado a fare un pellegrinaggio al Sacro Monte di Varese. Già che passo dalle tue parti, vorrei darti un salutino. Perché non esci dalla città? Ti vedrei con molto piacere». Bernabò abboccò e cavalcando una mula andò, accompagnato da alcuni figli (non tutti: ne ebbe diciassette legittimi e venti naturali) a incontrare il nipote nei pressi di sant'Ambrogio, allora in periferia. Appena vide lo zio, Gian Galeazzo fece un cenno ai suoi uomini che lo arrestarono, lo condussero al castello di Trezzo, dove morì dopo sette mesi, per una indigestione di fagioli (avvelenati).

Qualcuno pensa che il nipote abbia dato inizio al duomo per riparare l'orrendo delitto, altri per ringraziare il Signore del «buon esito» della liquidazione dello zio, altri ancora per ottenere dalla Madonna la grazia d'un figlio maschio, impegnandosi a chiamare Maria il nascituro. La Madonna concesse la grazia doppia e nacquero Giovanni Maria e Filippo Maria Visconti. I lavori furono affidati ai «maestri campionesi», a uno dei quali, Marco Frisone, morto nel

1390, si attribuisce il progetto originario (assieme a quello del ponte sul Ticino a Pavia e del duomo di Crema). Questi maestri, oriundi da Campione e da Lugano, erano architetti e scultori eccellenti nel lavorare la pietra e avevano formato un'affiatata scuola artigiana, tramandandosi l'arte di padre in figlio. Richiesti in tutta Italia per la loro valentia, lavorarono un po' dappertutto, alla Certosa di Pavia, alle Arche Scaligere di Verona, a Brescia.

La fabbrica del Duomo cominciò nel 1386, in un clima di gareggiante generosità. Ricchi e poveri prestarono la loro opera gratis, talvolta pagavano per avere l'onore d'impugnare la cazzuola. La corporazione degli avvocati, nel primo giorno che andò a lavorare, offrì quarantaquattro fiorini d'oro, i nobili duecentosettantadue lire (al tramonto, sfiniti, prosciugarono una botte di vino). Le meretrici offrirono una giornata, o meglio, una nottata di lavoro, un condottiero la spada, la parrocchia di san Marcello un asino, quella di Porta Orientale (oggi porta Venezia) un vitello. Marco Carelli, facoltoso mercante, si ridusse in miseria per aver donato tutti i suoi averi, trentacinquemila scudi d'oro, guadagnati trafficando schiavi sul mercato di Venezia, dove una bella tartara di diciotto anni valeva trentadue scudi, ma se ne aveva ventotto, il prezzo scendeva a trenta. Questo gesto, munifico fino all'autodistruzione, gli fu compensato con un ricordo che sfida i secoli: una tomba in duomo, nella quarta campata della navata minore di destra. Sempre per racimolare denaro, giravano per la città le *cantegole*, cortei di ragazzine biancovestite che suonavano pifferi, mentre le dame di Porta Vercellina organizzavano spettacolini mitologici, con Giasone e Medea a pagamento.

Quali erano le famiglie della Milano-bene, fine Trecento?

Ce lo dice un accertamento fiscale ordinato da Gian Galeazzo. Occorrendogli diciannovemila fiorini per comprare dall'imperatore Venceslao il titolo di duca, il Visconti impose un prestito forzoso, in realtà una nuova tassa, ai più facoltosi operatori economici e proprietari terrieri. La stima, fatta nel 1395, vede in testa, nella ripartizione del gravame, Giacomino Vismara di porta Vercellina, tassato per centoventi fiorini, seguito dai fratelli Giovanni e Antonio di Lignatiis di porta Comasina (novantasei fiorini), Andreotto del Maino (sessantaquattro), Bolo Resta di porta Vercellina (cinquantacinque), Cressino de Monte di porta Vercellina (cinquantatré), Luigi da Gallarate di porta Vercellina (cinquantadue), Francescolo de Fossalto di porta Vercellina (cinquanta), Rizzardo Resta di porta Vercellina (cinquanta), Cesare Borri di porta Romana (quarantotto), Gervasio Resta di porta Vercellina (quarantotto). Dare un'idea anche approssimativa del potere d'acquisto del fiorino è impresa difficile, com'è difficile tentare una comparazione tra le monete d'allora e quelle d'oggi. A titolo indicativo, si pensi che in Lombardia, secondo un documento del 1375, con trenta lire una persona si manteneva per un anno, scrive l'economista Carlo M. Cipolla; e pochi anni più tardi una famiglia benestante spendeva per il proprio mantenimento una media di circa cinquanta lire annue per persona. Quanto al fiorino, nel decennio 1390-1400, esso valeva una lira e settanta centesimi.

Tutti i mezzi erano buoni per rimpinguare le casse della fabbrica. Si trovava per strada uno sconosciuto morto d'infarto, con denaro in tasca? Si portava la salma all'obitorio e i soldi al duomo. Lo sbrigativo empirismo dei milanesi non trascurò nemmeno i moribondi. Ai notai si raccomandava di consigliare ai testatori di lasciare qualche legato a favore della chiesa *pro remedio animae*. Un'occhiuta rete di spionaggio a fin di bene indagava dove ci fossero patrimoni vacanti, beni senza padrone. Non si guardava tanto per il sottile, il donare a Dio lavava ogni colpa. Anche il papa (e poi i milanesi rimproverano Roma di non averli mai aiutati) collaborò alla fabbrica. Nel giubileo del 1390, siccome molti lombardi erano impediti, dalle guerre e dalle pestilenze, di recarsi a Roma, Bonifacio IX concesse le stesse, immutate indulgenze a chi versava alla Fabbrica del duomo i due terzi del denaro che avrebbe speso se avesse fatto il viaggio. «Purché pentiti e confessati» precisava la bolla pontificia. Ma qualche zelante imbroglione, più preoccupato di raccogliere soldi per il cantiere che anime per il paradiso, mise in giro la voce che, per l'occasione, la chiesa s'accontentava del denaro, senza pretendere che il fedele s'accostasse ai sacramenti. Il che recò molti quattrini alle casse della Fabbrica e altrettanto dolore al cuore del papa.

Casa Visconti partecipò con cento fiorini d'oro donati da una figlia di Gian Galeazzo, con altri cento a nome del piccolo Giovanni Maria (diventato adulto, se li farà restituire, nonostante il secondo nome), e cinquecento fiorini mensili di Gian Galeazzo, più l'uso gratuito delle cave di Candoglia, a nord del Lago Maggiore. La Lombardia era intersecata da una fitta rete di canali sui quali il trasporto dei materiali realizzava un risparmio della metà, talvolta di due terzi, rispetto al viaggio su strada. Il marmo veniva caricato a Candoglia, poi via Ticino e Naviglio Grande portato in città e smistato attraverso i navigli fino alla Fabbrica, dove fu scavato un laghetto per l'approdo dei grandi blocchi. Per concessione del duca, questi materiali non pagavano pedaggio, purché recassero la scritta AUF (*ad usum fabricae*) da cui derivò il modo di dire *a ufo*, per indicare cosa avuta gratis. I facchini lavoravano a pagamento, aiutati da volontari che si prestavano *pro nihilo* (per niente) a caricare e scaricare le «piatte», barche lunghe dai quindici ai diciotto metri, che pescavano dai trenta ai settanta centimetri vuote, e un metro con un carico di venti tonnellate. Quando incontravano una secca, bisognava scaricare i massi e ricaricarli più a valle. Per il viaggio di ritorno si legavano le barche in fila indiana, trainate controcorrente da cavalli che marciavano sull'alzaia, oppure da uomini.

Siccome la giornata lavorativa era più lunga d'estate che d'inverno, le paghe giornaliere variavano secondo la stagione. Premesso che la moneta di conto era la lira e che, come abbiamo accennato precedentemente, la lira si divideva in venti soldi, e il soldo in dodici denari, nel 1389 il manovale percepiva, d'inverno, soldi due denari otto, d'estate soldi tre. Il muratore, d'inverno, soldi cinque, d'estate soldi sette denari sette. Il falegname, d'inverno, soldi quattro, d'estate soldi sei denari otto. Lo scalpellino, d'inverno soldi tre denari sette, d'estate soldi quattro denari nove. Cifre che non dicono nulla, se non sono rapportate al potere d'acquisto. Ebbene, studi autorevoli hanno accertato che l'operaio sul finire del XIV secolo stava meglio del suo futuro collega del XIX; infatti per acquistare la stessa quantità di frumento (trecentosessanta chili) sotto il duca di Milano si lavorava dodici giorni, ai tempi di Crispi ventitré.

Grazie all'impulso impresso da Gian Galeazzo, nel frattempo diventato duca, i lavori nei primi anni procedettero svelti e proprio lui fu l'oggetto della prima cerimonia solenne celebrata in duomo, anche se non fu in grado di apprezzarla: si trattava infatti del suo funerale. Matteo I era morto di dolore per le scomuniche, Galeazzo I di patimenti in carcere, Stefano di veleno, Marco gettato da una finestra, Luchino avvelenato dalla moglie, lo zio Bernabò liquidato in carcere, il figlio Giovanni Maria sarà trucidato in una congiura. Da questo punto di vista, Gian Galeazzo fu uno dei meno sfortunati della famiglia: morì per una normalissima peste.

Sull'area attualmente occupata dal duomo (undicimilasettecento metri quadrati, superiore a Notre-Dame, a san Paolo di Londra, alla cattedrale di Colonia) sorgevano anticamente quattordici fra chiese e battisteri. Via tutti. Nella sua secolare avanzata la grande cattedrale e il sagrato fagocitarono santa Maria Maggiore, la chiesa che sant'Ambrogio aveva occupato per protestare contro l'imperatrice Giustina favorevole all'arianesimo, e lì aveva resistito all'assedio delle truppe, componendo inni liturgici; e fagocitarono santa Tecla, una chiesa grande, ariosa, fresca, che i fedeli usavano d'estate (chiesa estiva), mentre nella stagione cattiva preferivano santa Maria Maggiore (chiesa invernale), più piccola e raccolta.

La costruzione dell'immenso edificio procedeva alternando a frenetici periodi di lavoro rallentamenti e interruzioni causati da mutamenti di regime, discussioni tra architetti e amministratori. Si mandavano a chiamare dei supervisori dalla Germania: i maestri del gotico davano un'occhiata e se ne andavano, crollando il capo. Nel 1389 venne da Parigi Nicolas de Bonaventure, «ingegnere generale», restò un anno con un domestico, casa e riscaldamento gratis, poi fu licenziato. Nel 1391 vennero Giovanni da Fernach ed Enrico di Gmünd che senza tanti peli sulla lingua disse «questa fabbrica crollerà», e per tutta risposta i milanesi lo mandarono «*pro factis suis*». Nel 1392 fu interpellato Ulrico Fussingen di Ulma, nel 1399 furono ingaggiati il parigino Jean Mignot e il fiammingo Giacomo Cona, di Bruges, il primo a venti fiorini mensili, il secondo a venticinque. Il Mignot criticò la costruzione, propose urgenti correzioni, sentenziando *Ars sine scientia nihil est* (l'arte senza la scienza è nulla). I milanesi risposero licenziandolo e l'altro se ne tornò in Francia, lasciando un mucchio di debiti.

La morte di Gian Galeazzo segna, con la decadenza dello Stato, un arresto dei lavori dopo quindici anni di intenso cantiere. La peste, le lotte dei fuorusciti che volevano ricondurre in città il ramo dello spodestato Bernabò, le difficoltà economiche ostacolano l'azione del giovanissimo successore Giovanni Maria. Ora non è più il principe che finanzia la fabbrica, bensì la fabbrica che, nei momenti di necessità pubblica, finanzia il principe, concedendo un prestito di duecento fiorini per riparare le mura della città.

Morto Giovanni Maria, pugnalato mentre entrava in chiesa a san Gottardo, gli successe il fratello Filippo Maria, obeso, gottoso, superstizioso, non voleva attorno a sé gente vestita di scuro, cambiava letto tre volte per notte, durante i temporali si nascondeva per paura dei fulmini, addolorato per tutta la giornata se al mattino, sbadatamente, gli veniva fatto d'infilare la scarpa sinistra invece della destra, e teneramente devoto delle immagini dei santi Antonio, Cristoforo, Sebastiano, Pietro Martire, Elisabetta e Maddalena. Filippo Maria impose a tutti i dipendenti del comune una trattenuta del dieci per cento pro duomo, e affrontò la questione del tiburio, la struttura che copre l'incrocio dei bracci della croce latina. Problema di durata secolare, per il quale saranno interpellati anche Leonardo e il Bramante, quando Milano passerà dai Visconti agli Sforza.

Nel 1447 morì Filippo Maria e si proclamò l'effimera Repubblica Ambrosiana, con l'inevitabile strascico di epurazioni e vendette, ammantate di sacri principi. Così fu licenziato, dopo mezzo secolo di onorato servizio, l'architetto Filippino da Modena, autore dei tre finestroni dell'abside (che ospiteranno le vetrate più grandi del mondo). L'accusa era di «vita scellerata» e di essersi dato «a vizi et disordini d'ogni maniera». I fondi della fabbrica furono dirottati a costruire palle di cannone, alla faccia dei donatori che morendo avevano destinato i lasciti a fine di bene e di pace.

Fatto un boccone dell'imbelle Repubblica Ambrosiana, che aveva tra l'altro commesso l'ingenuità di affidargli la propria difesa, l'ambizioso condottiero Francesco Sforza entrò il 26 febbraio 1450 in Milano che, stanca di tre anni di anarchia, lo acclamò duca, mentre a cavallo si dirigeva verso il duomo, per inginocchiarsi davanti all'altar maggiore. Francesco riprese i lavori, «posando un'altra delle tante prime pietre del tempio» annota argutamente il Cassi Ramelli, nel quadro d'una illuminata politica culturale che vide fiorire l'università di Pavia e iniziare in una cappella del duomo un servizio di biblioteca circolante, gestito da un bibliotecario che, nel nome della cultura, s'accontentava d'un quarto di vino al giorno. Anche Lodovico il Moro incrementò i lavori, poi arrivarono le grandi pestilenze a troncarli.

Anno 1524: per soccorrere la cittadinanza decimata dal flagello l'amministrazione vendette ori e argenti, ridusse il numero degli operai e la razione di vino agli scalpellini.

Anno 1528: altra peste, portata dai lanzichenecchi. Stremati dalla fame e dalla miseria, i superstiti recarono in processione il gonfalone di sant'Ambrogio, due preti scalzi camminavano con la croce in spalla e la corda al collo, seguiti da bimbi biancovestiti coronati d'edera, e poi le ragazze scarmigliate con maxigonne di sacco, e i «battuti» che si flagellavano con verghe sibilanti, e drappelli di frati zoccolanti e canonici salmodianti, e dietro al tabernacolo col Santissimo il vescovo, il senato e tutti i maggiorenti della città, una mano sul petto, l'altra che impugnava una torcia.

Anno 1576: ancora la peste, detta di san Carlo il quale organizzò tridui e penitenze e portò in processione la reliquia del santo Chiodo, tuttora conservato in duomo, sopra l'altar maggiore. Secondo la leggenda, esso proveniva dal Calvario e sarebbe stato donato da Elena al figlio Costantino imperatore, poi arrivò, non si sa come, a Milano finendo nella bottega d'un fabbro. Un giorno, mentre questi tentava invano di piegarlo a martellate, passò sant'Ambrogio che riconobbe il chiodo della crocifissione, s'inginocchiò in preghiera e lo fece collocare in una chiesa. Il 3 maggio d'ogni anno la reliquia viene esposta alla venerazione dei fedeli.

Anno 1630: la peste descritta dal Manzoni, la «grande macchina del duomo» vista da Renzo Tramaglino è ferma, mancano braccia e denari.

Ogni epidemia, falcidiando la popolazione, provocava rarefazione della mano d'opera e aumento dei salari, per la ineliminabile legge della domanda e dell'offerta; pertanto, se da un male si può ricavare un bene, gli sconquassi economici e sociali conseguenti alle terribili stragi portarono al progressivo miglioramento delle condizioni dei lavoratori superstiti. Durante la peste del 1630, lunghe processioni di cittadini e magistrati, vestiti di sacco, i piedi nudi, sfilarono in duomo davanti al corpo di Carlo Borromeo, il santo che nel 1576 aveva pregato, e ora veniva pregato affinché cessasse il flagello. La sua ardente carità e purezza di vita gli avevano cattivato la fiduciosa devozione dei milanesi, colpiti dalla semplicità dei costumi, in eroico contrasto con la nobiltà delle origini. Ricchissimo, si cibava di pane e acqua. Se i medici visitavano gli appestati a distanza, fermandosi sull'uscio e sollevando con una lunga bacchetta le coperte e le vesti del malato, il naso coperto da un enorme becco colmo di essenze odorose per difendersi dall'aria «corrotta»; se i parenti scappavano impauriti (*'l pare no voleva andar dal fio, né 'l fio dal pare* si legge in una cronaca veneziana), Carlo non temeva di accostarsi a quegl'infelici.

Dormiva nudo sul pavimento, rifiutava ogni forma di comfort e di mondanità, provenisse dal governo spagnolo o dalla sede apostolica. Il suo era un cristianesimo arduo, aspro, intransigente non soltanto con gli eretici ma anche con le molte monache che tralignavano. Protagonista del rinnovamento spirituale della Controriforma, impose ai pastori l'obbligo della residenza, ponendo fine allo scandalo di vescovi titolari di diocesi che nemmeno sapevano dove fossero sulla carta geografica. Istituì seminari per la formazione e selezione del clero, spesso reclutato secondo criteri in cui il censo familiare, la carriera individuale, la vanità sociale facevano aggio sulla vocazione. Accortosi che gli erbivendoli, per raggiungere più rapidamente il mercato, attraversavano il duomo dalle porte laterali, coi muli carichi di merce, allontanò i mercanti dal tempio facendole chiudere. Processò le streghe con estremo rigore, ma vendette il principato di Oria per quarantamila ducati, che distribuì ai poveri.

Il suo corpo è conservato in un'urna di cristallo e argento, dono di Filippo IV di Spagna, dentro il sacello sotto l'altar maggiore, cui si accede attraverso il coro iemale (invernale), dove di solito si riunisce il capitolo dei canonici. La cripta è aperta al pubblico il 4 novembre, festa del santo. Sul petto dell'arcivescovo, una croce di smeraldi e diamanti offerta dall'imperatrice Maria Teresa d'Austria. La maschera d'argento che ricopre il viso è dono di Giovan Battista Montini, quand'era cardinale di Milano, prima di diventare Paolo VI.

La generale decadenza civile ed economica conseguente alla dominazione spagnola coinvolse anche la Fabbrica. Il governatore Davalos aveva altro da pensare. Teneva per sé la carne, commenta un poeta meneghino, agli altri *dava l'os*. Si lesinarono i soldi per il duomo, in compenso si largheggiò nelle pompose vanità spagnolesche, nell'istituire feste politico-religiose regolate da una ferrea etichetta. In duomo i posti erano distribuiti secondo un dosaggio scrupoloso, a carica maggiore corrispondeva scranno più alto, poi magari le autorità, durante una cerimonia invocante da Dio la fine d'un flagello, litigavano per il diritto di precedenza, per una assegnazione di sedia, per il modo di dare o ricevere l'acqua santa.

Con gli austriaci le cose migliorarono, si alzò la guglia maggiore con la statua della Madonnina, a quota centootto e cinquanta. Così i milanesi si presero, dopo secoli, la rivincita sul Barbarossa, che aveva abbattuto il campanile di santa Maria Maggiore, il più alto della Lombardia, considerato una sfida all'autorità imperiale.

Il 30 settembre 1774, essendo imperatrice Maria Teresa d'Austria, governatore il conte Carlo Firmian, gli operai della Veneranda Fabbrica, ingrassate le carrucole e recitato il rosario, issarono sulla guglia maggiore la statua della Vergine, battuta in rame su modello di legno e dorata con trecentotrentasette grammi d'oro zecchino. Per oltre un anno l'avevano lasciata in magazzino, per paura dei fulmini; e sebbene si dicessero meraviglie della recente invenzione, fatta a Filadelfia, da un certo Beniamino Franklin, anche i progressisti non nascondevano le loro perplessità, divisi com'erano in «acuti» e «rotondi», secondo che propendevano per il parafulmine a punta o a sfera.

Era il secolo dei lumi, si facevano i primi innesti di vaiolo; da un anno era stata aperta, nel collegio dei soppressi gesuiti, l'accademia di Brera; l'abate Parini insegnava al ginnasio e preparava la riforma (già allora) dei testi scolastici. Mentre la Madonnina (il diminutivo non inganni, è alta quattro metri e venti centimetri, pesa mille chili) sale sulla guglia, Goethe pubblica *I dolori del giovane Werther*, il ragazzo prodigio Mozart gira l'Europa a dar concerti, Goldoni ha sessantasette anni, Canova diciassette, Napoleone cinque.

Alla fine del Settecento arrivarono i francesi e per qualche tempo in Italia si cantò la *Marsigliese*, inno poco propizio alla crescita delle cattedrali. Scrive Emilio De Marchi: «*O Domm, chi t'ha faa? Quanti anni l'è che te contemplet le baggianate umane? Quanti sbir, croatt, todesch, spagnoeu, frances, todesch, croatt, e poeu ancamò todesch, spagnoeu, frances t'è vist a passà via, o scappà o tornà indree? Te se ricordet de Napoleon, che t'ha rott i veder coi mortee?*» Infatti per festeggiare la loro vittoria i francesi spararono a salve in città, frantumando le vetrate (1796), sport imitato dagli austrorussi, non appena la ripresero (1799).

Il vento giacobino non risparmiò il duomo, dalla cui porta fu tolto lo stemma di papa Braschi nel giro di ventiquattro ore, pena l'arresto di tutto il consiglio della Veneranda Fabbrica. Questo fu comunque epurato, con l'estromissione degli aristocratici. Si scalpellarono le palle dello stemma di Gian Giacomo Medici, detto il Medeghino, e ogni simbolo che ricordasse l'odiato ancien régime. Un esagitato propose di imporre il berretto frigio alla Madonnina.

La statua di Filippo II cambiò connotati, la sua testa fu sostituita con quella di Bruto, l'uccisore di Cesare. Premurosi anonimi scrivevano alla municipalità lettere del tipo: «Ieri mattina passando dal duomo ho veduto sopra una cappella di marmo un'aquila cosiddetta imperiale: io pertanto, spinto da zelo patriottico, non volendo che resti alcun vestigio dell'antica tirannia, eccetera eccetera». Al Circolo democratico, con sede nella chiesa della Rosa, una pasionaria si offrì in sposa a chi le avesse portato su un vassoio la testa di Pio VI; ma restò zitella. Depennati i nomi dei santi, una via fu chiamata laicamente Contrada del Bel Sesso, Contrada dei Tre Re (magi) divenne dei Tre Alberghi, e la casalinga Piazza delle Galline si convertì nell'esotica Piazza dell'isola Tahiti. Alla Scala andò in scena un sacrilego *Ballo del papa* con pontefice e cardinali danzanti.

Incoronato Napoleone, le cose cambiarono. Da quattro secoli i milanesi discutevano, a tutti i livelli, dall'erbivendolo all'arcivescovo, su come fare la facciata. E ogni generazione aveva finito col rinviare il problema alla successiva, come nel gioco dei cerini. Le cattedrali sono come le montagne: opera dei secoli. Il fondatore non è mai l'inauguratore, quando si gettano le fondamenta nessuno pensa alla facciata, è un affare da lasciar ai pronipoti. «Non sapevo se ammirare più la bellezza del paesaggio, la grandiosità delle chiese antiche o la fede non meno grande, salda come roccia, di quelli che le costruirono» scrive durante un viaggio in Italia Heinrich Heine. «Pur immaginando che solo a tardi pronipoti sarebbe stato concesso di portare a termine la santa impresa, essi posarono tranquillamente la prima pietra, misero mattone su mattone finché la morte li strappò al lavoro e altri ne continuarono l'opera, finendo a loro volta in pace; tutti fermamente convinti dell'eternità della religione cattolica e della continuità del loro pensiero nel succedersi delle generazioni, che avrebbero ripreso a costruire laddove i predecessori si erano fermati. Era la fede del tempo, e gli antichi costruttori vissero e si addormentarono in essa. Riposano, ora, davanti alle porte delle loro chiese, e c'è da augurarsi che dormano sodo; e il riso dei tempi moderni non li svegli.»

Troncando polemiche e incertezze plurisecolari, Napoleone ordinò di costruire la facciata. Poteva infatti il nuovo padrone d'Europa lasciare incompleta la cattedrale che era stata testimone d'un gesto unico nella storia, allorquando, strappata dalle mani dell'arcivescovo, cardinal Caprara, la corona ferrea si era incoronato da sé re d'Italia, lanciando la sfida: «Dio me l'ha data, guai a chi la tocca»?

Sotto Napoleone si eresse la facciata, tornata l'Austria si cominciò a parlare della piazza. Una chiesa così maestosa abbisognava d'una piazza adeguata, che le desse respiro. Poi non ci si accontentò più del respiro. L'orgoglio civico trovò un'alleata nella speculazione edilizia e dal loro matrimonio nacque l'idea d'un grandioso complesso monumentale, con una galleria da dedicare a Vittorio Emanuele II, che nel frattempo aveva liberato Milano. Venti milioni di preventivo, centinaia di miliardi d'oggi. Come trovarli? L'architetto lo si trovò subito, il bolognese Giuseppe Mengoni. Qualcuno timidamente obiettò che esistevano problemi più urgenti da risolvere nella città appena uscita dal travaglio della guerra ma non insistette, per non essere tacciato di disfattismo; e l'amministrazione comunale, guidata dal sindaco Antonio Beretta, s'imbarcò nella grossa avventura urbanistico-finanziaria, ricorrendo a prestiti, obbligazioni, soprattasse, lotterie.

A mano a mano che si sventravano le vecchie casupole e avanzava la smisurata piazza del duomo, qualcuno lavorò *pro domo sua*. Un assessore vendette al comune, per mezzo milione, alcune casette che valevano la metà. Denunce, querele per diffamazione, polemiche tra urbanisti e letterati, che alle accuse di peculato o di cattiva amministrazione aggiunsero quella di bruttura architettonica. Scrisse indignato il romanziere Giuseppe Rovani (siamo dopo la terza guerra d'indipendenza): «I nostri perpetui Lamarmora dell'edilizia ci regalarono codesta insopportabile Custoza dell'odierna piazza del duomo». Si rimproverò al Mengoni d'averla concepita troppo sontuosa; invece d'essere complementare alla chiesa, essa aveva una sua autonoma e spropositata monumentalità, che sminuiva o quanto meno non s'accordava con quella del tempio.

Non si erano ancora sopite le polemiche, che arrivò un testamento a rinfocolarle. Mutando bersaglio. Il signor Aristide De Togni, al quale la facciata napoleonica era sempre rimasta sullo stomaco, lasciò ottocentotrentamila lire (un grammo d'oro costava dalle tre alle quattro lire) perché se ne facesse una nuova. Paventando le lungaggini della burocrazia, pose un termine perentorio, vent'anni, trascorsi i quali l'eredità sarebbe passata all'Ospedale Maggiore. La Veneranda Fabbrica bandì un concorso internazionale e fra i centoquaranta progetti presentati vinse quello d'un giovanissimo architetto, Giuseppe Brentano, che a ventiquattro anni sconfisse il suo maestro, il prestigioso Luca Beltrami, restauratore del Castello Sforzesco. Brentano morì poco dopo, di polmonite. Chi l'avrebbe sostituito? Nelle more burocratiche, mentre si andava alla ricerca del successore, i milanesi cominciarono a domandarsi se, tutto sommato, valeva la pena di lasciare il certo per l'incerto. La facciata napoleonica aveva dei difetti, d'accordo; e se l'altra fosse risultata peggiore? Bisognava inoltre superare numerosi ostacoli amministrativi, in sede locale e romana, ottenere l'approvazione del consiglio comunale, del consiglio superiore delle Belle Arti, del ministero della Pubblica Istruzione. Morale: la Veneranda Fabbrica e l'Ospedale Maggiore scesero a un compromesso, spartendosi il lascito a metà.

Non per questo il partito di coloro che volevano la facciata nuova disarmò, e nel 1911 il banchiere Cesare Ponti donò centomila lire, da mettere a frutto e usare solamente quando la maturazione degli interessi avesse raggiunto la cifra di quattro milioni. Campa cavallo. Gli uomini dell'Italietta nutrivano nella moneta una fiducia illimitata, quasi eguale a quella nella Madonnina. Poi arrivò la prima guerra mondiale che polverizzò la lira. Niente facciata nuova, dunque, e niente campanile. Nel 1938 l'architetto Viganò preparò il progetto d'un campanile, scegliendo la zona dell'Arengario, poi la seconda guerra mondiale fece cambiar discorso. E non fu più ripreso.

Nel secondo dopoguerra si costruirono le quattro porte laterali, in aggiunta a quella centrale, di Ludovico Pogliaghi (1906). La prima da sinistra è di Arrigo Minerbi

(1948), la seconda di Gianni Castiglioni (1950), la quarta di Franco Lombardi e Virgilio Pessina (1950), la quinta di Luciano Minguzzi (1965). In questa città che non finisce mai di lavorare, il duomo non finisce mai d'essere costruito. Campanile a parte, di cui nessuno sente la mancanza e il desiderio, squadre di operai per dodici mesi all'anno restaurano, aggiustano, verniciano le statue con liquido antismog, arrampicandosi su ponteggi teleguidati a sostituire, con ardite operazioni di chirurgia plastica, pezzi logori o pericolanti.

«Il duomo è entrato in una fase critica» spiega Carlo Ferrari da Passano, protoarchitetto della Veneranda Fabbrica, «dopo sei secoli di vita è come un uomo che arriva sui sessant'anni, deve farsi il check-up, mettersi sotto controllo medico. Una ventina d'anni fa esso ha corso un serio rischio per l'abbassamento della falda freatica, discesa per gli irrazionali prelievi d'acqua da sette metri a trentaquattro. È facile immaginare il cedimento delle strutture portanti, costruite in tempi remoti, su una situazione idrogeologica ben differente. Grazie ai severi controlli sui prelievi d'acqua, ora per fortuna la falda è risalita di nove metri. Per eliminare le vibrazioni causate dal traffico, sono stati spostati i tram, i convogli del metrò devono rallentare in prossimità del duomo. Scongiurate queste offese di natura esterna, fu poi necessario rafforzare i piloni del tiburio che gli antichi architetti avevano costruito adoperando materiali incoerenti. Spesa globale dei recenti restauri, oltre quindici miliardi di lire. Resta sempre, seppur diminuita per la diffusione degli impianti di depurazione, l'usura dello smog, che corrode la pietra delle statue, i fregi, i pinnacoli, ogni giorno più gracili e fragili.»

È curioso come i milanesi, gente di gusti pratici e sbrigativi, abbiano voluto ammantare la loro chiesa di una così lussureggiante e «inutile» vegetazione marmorea: tremilacentocinquantanove statue, di cui duemilacinquecentoquarantacinque esterne, oltre ai novantasei giganti dei doccioni, centoquarantacinque guglie, centocinquanta bocche d'acqua, quattrocentodieci mensole. Rivincita della fantasia sulla routine di chi è vissuto sempre e soltanto per il lavoro? Ci sono anche sculture di argomento profano, legate alla nostra storia recente: l'incontro dei pugili Erminio Spalla e Primo Carnera, il profilo di Arturo Toscanini, e la testa di Benito Mussolini sfuggita al piccone epuratore.

Al loro duomo, cuore della città (avete notato il profilo simile a un elettrocardiogramma?) i milanesi non rinuncerebbero, neanche in cambio del titolo di capitale d'Italia: quel duomo che, come il cielo di Lombardia, è così bello quando il cielo è bello, ed è bello anche con la nebbia, così almeno piaceva a Hemingway reduce da Caporetto; bello anche di notte, «giocattolo per i bambini d'un gigante» quale apparve, nel chiaro di luna, ad Heinrich Heine. Bello anche se Auguste Renoir lo definì una sciocchezza e D.H. Lawrence un porcospino. Quando i milanesi v'entrano per la prima volta, corrono a cercare il sepolcro di Ariberto d'Intimiano (i ricordi di scuola hanno i loro diritti) ideatore del carroccio, e sopra quella tomba la croce del carroccio, simbolo della libertà comunale.

Durante le Cinque Giornate, dalla terrazza del duomo i cacciatori tirolesi sparavano sui passanti. Il 15 gennaio 1857, durante l'ingresso dell'imperatore Francesco Giuseppe con la bella Sissi, un operaio appollaiato nell'alta penombra d'una navata salutò l'augusta coppia con un fischio acutissimo. L'anno seguente, ai funerali di Radetzky, i banchi riservati alla municipalità risultarono polemicamente vuoti.

Nella navata sinistra del transetto destro è sempre oggetto di sorridenti commenti la statua di san Bartolomeo, martirizzato per scorticamento, che uno scultore granguignolesco, Marco Agrati, ha raffigurato con la pelle gettata sulle spalle, a mo' di sciarpa. *L'è el martir de l'agent di tass* dice la gente. Le tasse. Il duomo è una cosa di tutti, una casa di tutti, un bene di famiglia. E sull'imposta di famiglia i milanesi hanno pagato prima della riforma tributaria un'addizionale del tre per cento, a favore della Veneranda Fabbrica. È l'unica imposta contro cui, che si sappia, non hanno mai presentato ricorso. Dal 1974, l'onere è passato a carico dello Stato, che versa ogni anno un miliardo e ottocento milioni. Gian Galeazzo era più generoso.

◊

# Muratori musulmani
# per la chiesa della Vergine

◊

Sul quadrante dell'orologio della torre sinistra del duomo di Monreale un'antica scritta ammonisce *Tuam nescis*, la tua (ora) non conosci. L'ora di morire. Sul lato destro della piazza, ad angolo retto con la chiesa, sorge un nobile edificio, già sede dei benedettini, oggi scuola media. Un cartello, incollato sullo stemma dell'istituto, accusa: «Burocrazia uccide più del terremoto». I terremotati del Belice non sembrano soddisfatti delle provvidenze governative. Anche tu, terremotato, *tuam nescis*: l'ora di morire dipende dagli inquieti visceri della terra; quella di sopravvivere, dal competente ministero. La burocrazia normanna, lo vedremo tra poco, era molto più veloce.

Si salgono le rampe d'uno scalone e appare, sulla parete destra, una tela settecentesca del palermitano Giuseppe Velasquez che raffigura il ritrovamento d'un tesoro fatto da Guglielmo II, re di Sicilia, dopo un sogno rivelatore. Secondo la leggenda, le cose si sarebbero svolte così: il giovanissimo sovrano un giorno andò a caccia sui monti che formavano, attorno a Palermo, un immenso parco verde, senza strade né case, decine di chilometri di folti boschi e amene radure dove i re normanni, inseguendo cinghiali e caprioli, sollevavano lo spirito dalle cure del governo. Guglielmo II, detto il Buono, aveva ereditato il trono a quattordici anni, dal padre Guglielmo, detto il Malo, morto a quarantasei; pochissimi degli zii e prozii erano arrivati all'età adulta, si moriva giovani in casa d'Altavilla.

Biondo come tutti i nordici, bello d'aspetto, gentile e sorridente era un inseguitore infaticabile di selvaggina, e fu con grande meraviglia che i valletti videro sdraiato sotto un carrubo, immerso in un sonno di pietra, lui che di solito resisteva più di tutti alla fatica. Durante il sonno, apparve a Guglielmo la Madonna che gli disse: «Scava sotto questa pianta e troverai un tesoro». Col febbrile entusiasmo di chi abbia appena ricevuto dal nonno buonanima un terno secco, il sovrano ordinò ai suoi uomini di dissodare il terreno e non bisognò andare molto in profondità per trovare un cofano colmo d'oro, argento e pietre preziose. Per ringraziare la Madonna del gentile pensiero, Guglielmo deliberò di erigere e dedicarle una chiesa nel luogo stesso della visione, Monreale appunto, allora chiamato Monte Regale, perché preferito dai re normanni per i loro augusti weekend.

Fin qui la leggenda, che rientra perfettamente nel clima di pedagogia miracolistica proprio dell'epoca. Se la pubblica autorità decideva di costruire una chiesa, non s'accontentava di stanziare in bilancio la relativa somma, ma si preoccupava di avvolgere l'iniziativa in un alone sovrannaturale. Dopo il Mille, rifiorendo le industrie e i traffici, la chiesa dell'Occidente europeo scongelò i molti capitali precedentemente accumulati, trovandosi così ad avere un'ingente quantità di liquido disponibile, ma questo avvenne in un'atmosfera di prodigi «il cui rivestimento miracolistico» osserva Jacques Le Goff «non deve nascondere le realtà economiche». Se un vescovo progetta di costruire una cattedrale nuova o abbellire quella vecchia, ecco un improvviso miracolo mostrargli, in un luogo segretissimo, il denaro necessario. Alcuni anni prima del Mille il vescovo d'Orléans, Arnolfo, pensò di ricostruire la sua chiesa. I tecnici scelsero l'area, fecero assaggi nel terreno e, guarda caso, scoprirono un tesoro che portarono subito ad Arnolfo, per finanziare la fabbrica.

La chiesa di Monreale, cominciata nel 1172, dopo una dozzina d'anni poteva dirsi ultimata: un tempo record, e non solo per quei tempi («è stata l'ultima cosa fatta con rapidità, qui da noi» commenta un terremotato). I lavori furono affidati a maestranze islamiche, tecnologicamente le più evolute dell'isola, per non dire le uniche esistenti. Questa che è una delle più belle chiese della cristianità sorse a opera di muratori che non bestemmiavano mai, per la semplice ragione che erano di fede musulmana. Allah ha dato una mano alla Madonna. Ma per capire questo fatto, apparentemente inspiegabile, conviene sostare un attimo e considerare le condizioni di vita e la composizione etnica del regno normanno.

Raramente s'incontra nella storia uno Stato più eterogeneo, una civiltà più composita, un governo più tollerante. Il regno era abitato da normanni, longobardi, latini, greci, ebrei, arabi e i conquistatori normanni cercavano di andare d'accordo con tutti, mostrando deferenza a vescovi e monaci, senza maltrattare il muezzin. Ruggero I proibì ai preti di far proselitismo tra i musulmani, temeva che s'irritassero, i musulmani gli erano indispensabili perché occupavano posti di rilievo nella flotta e nell'esercito. Quando erano sbarcati in Sicilia, i normanni avevano trovato, nella sola Palermo, trecento moschee l'una più bella dell'altra, trecento maestri di scuola, cinquanta macellerie, l'arte fiorente non meno dell'economia. Da gente come questa, pensarono i rozzi conquistatori calati dal nord Europa, c'è molto da imparare.

E se l'apparizione nel bacino mediterraneo di questi biondi e giganteschi nordici aveva sulle prime seminato terrore, e la gente pregava: «Liberaci, o Signore, dai Normanni», definiti *Normanni, nullimanni, foetentissima stercora mundi*, essi non impiegarono molto a inserirsi e integrarsi nel costume e nella civiltà delle terre conquistate, adottando la politica della coesistenza pacifica.

I normanni si governarono secondo gli statuti dei franchi, i musulmani secondo il Corano, i mercanti padani scesi a trafficare usavano le leggi longobarde, gl'indigeni il vecchio giure romano. Tre lingue negli atti pubblici, latino, greco e arabo. Recentemente è stata trovata una tomba con l'iscrizione in quattro lingue, la quarta è l'ebraico.

I re e i nobili parlavano francese, guardandosi bene dall'imporlo come lingua obbligatoria. Alla corte di Palermo, porto spalancato a tutte le mode e filosofie, approdavano «uomini di mare, giuristi, segretari, mercanti, pedagoghi, camerieri; qual più qual meno caritatevoli; dissoluti e picchiapetto; bilingui e trilingui, barcheggianti fra due o tre religioni; versati nella letteratura araba e nella scienza greca, dilettanti dell'arte bizantina», scrive Michele Amari. Anche Guglielmo II «barcheggiava». Durante il terremoto del 1169 nei saloni della reggia dame, cortigiani, soldati in preda al terrore pregavano chi Gesù, chi Geova, chi Allah, affinché terminasse il flagello. Improvvisamente entrò il sovrano e tutti, ignorando le sue personali convinzioni religiose e temendo di offenderle, interruppero le preghiere. Guglielmo seccamente ordinò: «Riprendete a pregare, ciascuno di voi implori l'Ente in cui crede».

La finanza e la cancelleria erano in mano musulmana, e così pure la zecca. Nelle cerimonie ufficiali, il nonno di Guglielmo, Ruggero II, costruttore del duomo di Cefalù, indossava la dalmatica con trapunta in oro la data dell'Egira (anno 622, fuga di Maometto dalla Mecca). Intendiamoci, tanta tolleranza non significava che fosse distrutto il principio gerarchico. Il conte valeva sempre, nelle consuetudini feudali, il doppio del barone, il barone il doppio del cavaliere, il cavaliere il doppio del borghese, il borghese il doppio del rustico. Quasi zero il villano e il servo. Tuttavia il regno normanno, per quanto riguardava la convivenza etnica, sembrava un'idilliaca isola dove si poteva incontrare la vecchia città greca accanto al neovillaggio longobardo, la moschea dirimpetto alla chiesa, il quartiere saraceno confinante con quello ebraico, gli amalfitani mescolati ai bizantini, i cavalieri normanni vestiti di ferro, i greci in tunica bianca, gli arabi con mantello e turbante, in un pittoresco cosmopolitismo incrementato dal traffico per le crociate, che facevano della Sicilia una tappa obbligatoria, un posto di ristoro per milizie e avventurieri, in navigazione verso l'Oriente.

Palermo aveva le strade selciate, quando a Bologna, Milano e Firenze bastava mezz'ora di pioggia per trasformare il centro in un lago di fango. Mai una sommossa durante il regno di Guglielmo II. I poeti provenzali cantavano che non avrebbero barattato l'amore della loro donna «nemmeno con la corona del re di Palermo». Un viaggiatore arabo, Ibn Giobair, fu colpito dall'animazione delle strade e dalla cortesia della gente. «Il musulmano» scrive Ferdinand Chalandon «si meraviglia d'essere prevenuto dai cristiani, che lo salutano premurosamente. Ma è soprattutto Palermo, la capitale, che suscita l'entusiasmo degli stranieri. Ibn Giobair la paragona a Cordova, e la chiama "la più vasta e la più bella metropoli del mondo, la città di tutte le eleganze, della quale non si finirebbe mai di enumerare gli incanti". Il commercio è importante: amalfitani e veneziani possiedono numerose botteghe. Tre quartieri formano la città: al centro si elevano, entro mura fortificate, il palazzo reale, fiancheggiato dalla Torre Pisana e dalla Torre Greca, e la cattedrale. La corte di Palermo offre lo stesso miscuglio, la stessa varietà che abbiamo notato altrove. Il re figura in un apparato preso a prestito dal cerimoniale bizantino, dalla cavalleria occidentale e dal fasto dell'Oriente arabo. Egli porta la corona greca coi pendenti ed è rivestito della dalmatica, ma talvolta copre le sue spalle col grande mantello di emiro, ricamato di caratteri cufici e ornato di due tigri che abbattono dei cammelli e, come un sovrano orientale, cinge il capo con una specie di tiara emisferica. Il miscuglio delle civiltà e delle credenze apparisce anche più distintamente nel camice di Guglielmo II, sul quale alcune donne arabe ricamarono, nei caratteri della loro lingua, invocazioni al Redentore cristiano, figlio della Vergine.»

Guglielmo II, cristiano «barcheggiante», quando seppe che Gerusalemme era stata conquistata dal Saladino, cinse il cilicio e per quattro giorni si segregò in penitenza, breve parentesi ascetica fra le delizie d'una corte lussuosa, con un harem ben rifornito, eunuchi musulmani, musulmano lo chef di cucina. Quando scadeva l'ora della preghiera ad Allah, i cortigiani uscivano e il re faceva finta di non vedere. Si circondava di medici e astrologi; se veniva a sapere che uno scienziato stava attraversando il reame, gli offriva un sostanzioso stipendio, perché dimenticasse il paese donde veniva e quello ove era diretto. Leggeva e scriveva l'arabo, si faceva servire da ancelle musulmane così raffinate nel vestire che le colleghe cristiane ne adottarono subito la moda e, in un secondo tempo, la religione. Più d'una volta il giovane re fu visto in barca sul lago d'Albeira *cum uxoribus suis*, con le sue concubine. A questi normanni, cultori di mollezze orientali e prodighi fondatori di chiese (in meno di sessant'anni costruirono a Cefalù la cattedrale, a Palermo san Giovanni degli Eremiti, la Cappella Palatina e la cattedrale, a Monreale la cattedrale e il chiostro) si può estendere la definizione che l'Amari diede di Ruggero II, «un sultano battezzato». Personalmente, Guglielmo II passò alla storia con l'appellativo «il Buono», più che per aver voluto i mosaici di Monreale, per aver governato con saggezza un mosaico di etnie e di religioni.

A Monreale non s'accontentò d'una chiesa, vi aggiunse un monastero e il palazzo reale, poi diventato seminario. All'abate, benedettino, procurò il titolo di arcivescovo, diede terre e castelli, il diritto di pascolo e di legna in tutto lo Stato, cinque barche nel porto di Palermo. Insieme con la dignità di baroni, gli arcivescovi di Monreale ebbero prerogative regie: capi militari e giudici in cause penali e civili, concedevano la grazia ai condannati e abilitavano i medici alla professione. Il monastero era esente dall'obbligo di «servire le posate», chiunque fosse l'illustre ospite, re compreso. Quando il sovrano saliva a Monreale, gli spettavano di diritto soltanto due pani e la razione di companatico e vino della mensa comune.

Nell'erigere questa acropoli religiosa e regale dominante la città e il mare, Guglielmo probabilmente pensava a due famosi esempi, san Giovanni in Laterano, che era chiesa e palazzo, e Costantinopoli, dove la reggia non distava da santa Sofia. Il giovane re volle gareggiare con Costantino e Giustiniano, per non parlare di Carlo Magno, che ebbe in Aquisgrana reggia e chiesa, e dei dogi veneziani, che avevano pensato e costruito san Marco come cappella del palazzo ducale. Tracciando per la nascente cattedrale la pianta a croce latina, intese fare una scelta culturale, inserirsi nella civiltà dell'Occidente, senza però rinunciare alle fantasiose suggestioni e ai raffinati modelli dell'altra sponda del Mediterraneo. Il modello più alto e ieratico della regalità era la corte di Bisanzio e da Bisanzio Guglielmo fece venire centocinquanta mosaicisti a decorare il duomo. Muratori arabi, mosaicisti bizantini, colonne di ex templi pagani, pianta latina, finanziamento normanno: il duomo è un felice prodotto di civiltà incrociate.

La superficie musiva copre seimilatrecentoquaranta metri quadrati, circa duemila più che a san Marco. Centotrenta grandi quadri a fondo oro raccontano episodi del Vecchio e del Nuovo Testamento, in coerente progressione didascalica e figurativa, raggiungendo il punto culminante, il trionfo cromatico e teologico nella colossale, incombente figura del Cristo Pantocratore (Onnipotente) che occupa tutto il catino dell'abside (la testa misura tre metri, la mano un metro e ottanta, l'altezza totale sette metri). Queste storie propongono un catechismo visivo più efficace di cento prediche. La pittura fu la prima forma di scrittura umana. Polignoto raccontò nel Pecile, portico di Atene, i fatti della mitologia greca per chi non era in grado di leggere Omero. La civiltà delle immagini è, cronologicamente, la prima di tutte le civiltà.

Il Vecchio Testamento aveva vietato le immagini affinché il popolo ebraico non cadesse nell'idolatria, ma quando Cristo s'incarnò e prese figura umana la civiltà delle immagini entrò nel tempio. Esse sono il vangelo degli analfabeti, né aveva torto il poeta François Villon quando scriveva nella preghiera alla Vergine, composta per la madre:

> Io sono una povera e vecchia donna
> che non sa nulla, non ho mai letto una lettera,
> vedo nella chiesa della mia parrocchia
> un paradiso dipinto dove sono arpe e luci
> e un inferno dove i dannati son messi a bollire,
> l'uno mi fa paura, l'altro mi dà gioia e letizia.

«Quello che lorsignori vedono in alto, a destra, è la creazione del caos», spiega ai turisti una guida con voce da sergente in piazza d'armi «poi viene la creazione della luce, e lì accanto quella del firmamento, degli animali, eccetera. Adesso, per favore, alzino la mano verso la finestra della porta maggiore, per non essere abbagliati, e vedranno controluce la creazione di Eva.»

I turisti, obbedienti, alzano il braccio come nel saluto romano per ripararsi dal violento raggio di sole e, strizzando gli occhi, intravvedono la fatale costola, trasformata in femmina.

«Da quest'altra parte possono invece ammirare il serpente tentatore e la vergogna che provano i nostri progenitori, dopo aver mangiato la mela. Osservino, prego, osservino come si vergognano Adamo ed Eva. Sfido io, peccato hanno. Di lì, tutte le nostre disgrazie cominciate sono.»

I turisti, assuefatti al «tutto compreso», annuiscono. Nell'ala sinistra del presbiterio uno s'informa circa l'urna che sta sotto un altare.

«Conteneva il corpo di Luigi IX, re di Francia, morto di peste alle crociate» spiega la guida, la voce incrinata dalla commozione, come se parlasse d'un parente.

«Adesso la salma dov'è?»

«Parigi indietro la rivolle, qui c'è soltanto il cuore con gli altri visceri.»

«È stato De Gaulle?»

«È stato Filippo III, nel 1278.»

«E l'abbiamo ceduta gratis?»

«Una spina della corona di Nostro Signore data ci fu» conclude la guida, soddisfatta del cambio.

Diventato re a dodici anni, sotto la tutela della madre Bianca di Castiglia, Luigi IX fu da tutti considerato un sovrano dotato di raro equilibrio tanto che i regnanti d'Europa ricorsero a lui come arbitro nelle controversie internazionali. Bandì due crociate in Terrasanta, egualmente sfortunate. La prima puntò sull'Egitto e la Siria, ma subì una dura sconfitta. La seconda su Tunisi, perché Luigi, male informato di geografia e di storia, credeva che questa città fosse la cerniera politico-militare del sistema orientale. Sbarcati sul suolo africano, il re e la sua spedizione furono sterminati dalla peste.

Un altro motivo africano nel duomo di Monreale è la storia di Castrense, un cristiano d'Africa catturato dagli ariani, setta eretica, che lo misero in una barca sdogata e lo abbandonarono in mare, convinti che affogasse. Miracolo. Castrense rimase a galla e portato dalle onde approdò sulla costa campana, dove divenne vescovo e poi santo. Quando si sposò Guglielmo II, il vescovo di Capua, Alfano, gli inviò come dono di nozze le reliquie del santo, al quale è dedicata una cappella, nella navata laterale destra. Attigua a questa è la cappella di san Benedetto, con bassorilievi che lo rappresentano mentre si getta tra le spine per vincere la tentazione, fa scaturire l'acqua da una montagna, si concentra in preghiera e fa crollare un tempio pagano. Nel Seicento sorse, tra i frati benedettini e i devoti di san Castrense, una disputa per stabilire a chi spettasse il titolo di «primo e principale patrono» di Monreale: a Castrense o a Benedetto? Dopo un'agguerrita schermaglia storico-teologica, si arrivò a un compromesso all'italiana, che pareggiò i due santi come protettori *ex aequo*; entrambi potevano essere oggetto di preghiere, avere feste e processioni, ma solo col titolo di «principale patrono». Il «primo» veniva abolito.

Entrando nel chiostro si è sopraffatti da una sensazione d'intensa concentrazione spirituale e tornano alla mente le parole di Lewis Mumford, storico del fenomeno urbanistico: «Nell'aprire i nostri edifici all'incontrollato riverbero della luce solare e dell'ambiente esteriore, abbiamo dimenticato, a nostro rischio e con nostra perdita, il bisogno di contrasto, di quiete, di buio, di *privacy*, d'interiorità. Questa lezione dovrà essere applicata alla città come agli edifici. Il chiostro, nella sua forma pubblica come in quella privata, svolge nella vita dell'uomo urbano una funzione ineliminabile, e l'averlo dimostrato non fu certo il contributo meno importante della città medievale. Senza possibilità d'isolamento e di riflessione, possibilità che esigono uno spazio chiuso, libero da occhi indiscreti e da distrazioni, può trovarsi a soffrire anche la persona più estroversa. Senza quelle celle, la casa è soltanto una caserma, e la città un accampamento. Nella città medievale lo spirito disponeva di rifugi organizzati e di forme di evasione dalla vita mondana; precisamente le cappelle e i conventi, dove era possibile ritirarsi per un'ora o per un mese. Oggi la degradazione della vita interiore è simboleggiata dal fatto che il solo luogo sacro e inviolabile è, in pratica, il gabinetto privato».

Per costruire il chiostro, re Guglielmo si servì di artigiani arabi, e secondo taluni anche di operai borgognoni, di passaggio diretti in Terrasanta. Questi si pagarono vitto e alloggio costruendo le mirabili colonnine binate, centoquattordici coppie, i capitelli differenti l'uno dall'altro, con storie sacre e soggetti profani e allegorici, per indurre i frati alla meditazione e al disprezzo del mondo.

> *O dives, dives*
> *non multo tempore vives*

o ricco, non vivrai molto tempo, ammonisce una didascalia
in un capitello del lato nord, sotto la parabola di Lazzaro e
del ricco Epulone.

Povero, in verità, questo convento non era. L'abate-arcivescovo ebbe da Guglielmo, sempre più innamorato di
Monreale, una donazione di mille chilometri quadrati di
territorio, ai danni dell'arcivescovo di Palermo, l'inglese
Gualtieri Ophamil, italianizzato in Offamiglio, che giurò di
vendicarsi. Il re non aveva figli. Dopo nove anni di matrimonio con Giovanna, figlia di Enrico II d'Inghilterra, Guglielmo cominciò a preoccuparsi della successione. C'era in
casa un parente, un bastardo di nome Tancredi, e lasciargli
la corona non avrebbe suscitato scandalo, non avendo il
medioevo, nei confronti degli illegittimi, la pruderie di noi
moderni. Guglielmo il Conquistatore, il normanno che vinse ad Hastings (1066) e soggiogò l'Inghilterra, era detto anche Guglielmo il Bastardo e non se ne vergognava. Manfredi, re di Sicilia e di Puglia, era un figlio illegittimo di Federico II. Un bastardo degli Scaligeri fu abate di san Zeno, a
Verona. Ai bastardi, specialmente in Toscana, erano riservati diritti di successione quasi eguali a quelli dei legittimi.
Gli Aragonesi di Napoli erano la linea bastarda della dinastia. Quando Pio II andò alla dieta di principi cristiani a
Mantova (1459), il primo saluto glielo diedero otto illegittimi di casa d'Este.

In fondo, è stato osservato, essere bastardi significava
aver avuto una madre degna d'entrare nel letto d'un personaggio illustre. Perciò in linea teorica Tancredi avrebbe potuto aspirare al trono di Sicilia, sennonché si fece avanti il
Barbarossa a chiedere a Guglielmo, per suo figlio Enrico, la
mano della zia Costanza, figlia del defunto Ruggero II, ul

Di marmo e mattoni è la facciata mai finita di san Petronio a Bologna, in cui ebbe luogo nel 1530 l'incoronazione di Carlo V. Il corteo che accompagnava l'imperatore fu raffigurato dal Brusasorci in un affresco a palazzo Ridolfi-da Lisca a Verona e qui è riprodotto da una stampa settecentesca (Foto: Fototeca Touring Club Italiano, Archivio Rizzoli).

Papi, cardinali, prelati condannati a pene atroci e torturati in modi pittoreschi in questo vivace affresco di Giovanni da Modena nella cappella Bolognini in san Petronio. Meno medievale è l'atmosfera che circola nelle formelle della porta maggiore della cattedrale, opera di Jacopo della Quercia; a sinistra, Noè ebbro (Foto: Fototeca Touring Club Italiano).

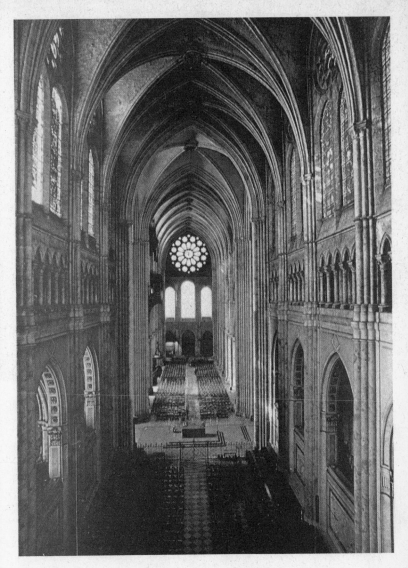

L'imponente e luminosa navata centrale della cattedrale di Chartres, sotto le cui volte sono sfilati nel corso dei secoli personaggi potenti e umili, uomini d'affari e donne di malaffare, malati di mal caduco che sostavano in questo tempio dalle aguzze torri e dai famosi portali; nei riquadri delle pagine seguenti, due particolari del Portale Reale (Foto: Archivio Rizzoli).

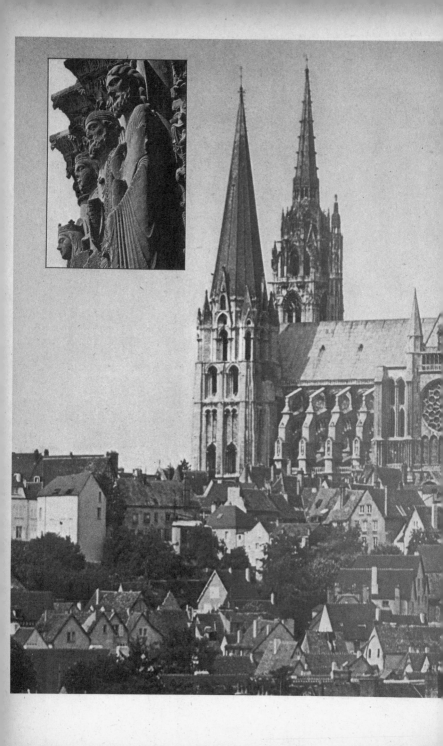

La cattedrale di Colonia (questa foto ne accentua la verticalità) è assediata dalla ferrovia e dal ponte Hohenzollern (pagine precedenti). Rimasta incompiuta fino alla metà dell'Ottocento (nel riquadro, come si presentava nel 1830) conserva al suo interno, tra l'altro, l'arca dei re Magi, capolavoro d'oreficeria del XIII secolo e il gigantesco san Cristoforo (Foto: Archivio Rizzoli).

L'interno della cattedrale di Cordova è un immenso bosco pietrificato di palme stilizzate. Nata moschea, la chiesa è caratterizzata dall'arco a ferro di cavallo, come si può vedere anche nel lato occidentale, qui a sinistra (Foto: Archivio Rizzoli).

Contro il cielo di Firenze si staglia l'ardita cupola realizzata dal Brunelleschi per santa Maria del Fiore (nella pagina accanto, la policroma facciata). La cattedrale fiorentina è ricca di opere dei maggiori artisti italiani: nella pagina accanto, in basso, una Pietà di Michelangelo e l'affresco di Paolo Uccello raffigurante Giovanni Acuto, il condottiero inglese che sventò il tentativo di Gian Galeazzo Visconti di impadronirsi di Firenze. (Foto: Archivio Rizzoli).

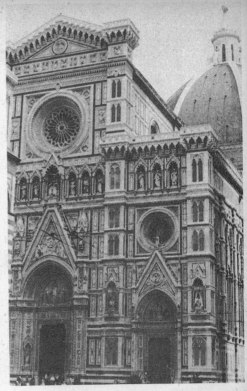

La romanica cattedrale di Genova è dedicata a san Lorenzo di cui nella lunetta sovrastante il portale maggiore è raffigurato il martirio. Messo ad arrostire su una graticola, il santo avrebbe detto ai suoi carnefici: «Da questa parte sono cotto, giratemi dall'altra». A fianco, l'Arrotino, opera di arte francese del XIII secolo (Foto: Fototeca Touring Club Italiano, Marka, Archivio Rizzoli).

Il leone del monumento a Vittorio Emanuele II sembra star di guardia al duomo di Milano, irto di guglie (sono 145) e popolato di santi, animali fantastici, mostri (nella pagina accanto un doccione a forma di drago). La maschera di argento che ricopre il volto di san Carlo Borromeo è dono di Giovan Battista Montini. Nel transetto si trova la statua di san Bartolomeo «el martir de l'agent di tass» (Foto: Fototeca della Fabbrica del Duomo di Milano).

Adamo ed Eva, formella del portale maggiore del duomo di Monreale, opera di Bonanno Pisano. Notevoli sono il chiostro, il catino absidale col Cristo Pantocratore e le absidi; nella pagina accanto, una delle tre (Foto: Archivio Rizzoli).

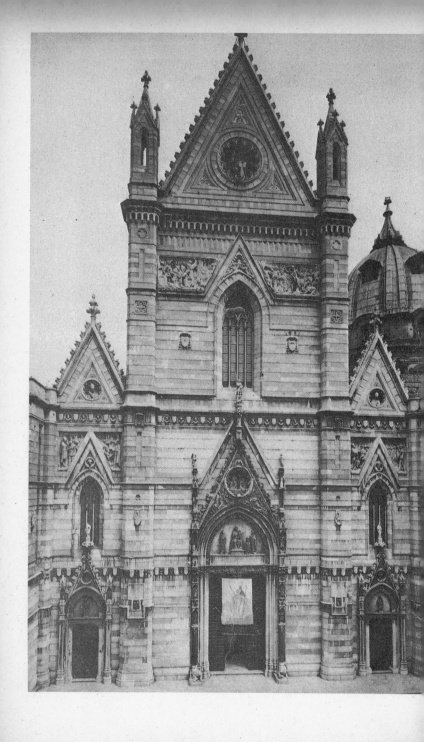

Nel duomo di Napoli (nella pagina accanto, la facciata) la cappella dedicata a san Gennaro è affollata di busti d'argento dei santi compatroni. Il busto di san Gennaro, opera di età angioina, nelle cerimonie solenni viene rivestito con le insegne vescovili (Foto: Fototeca Touring Club Italiano, Archivio Rizzoli).

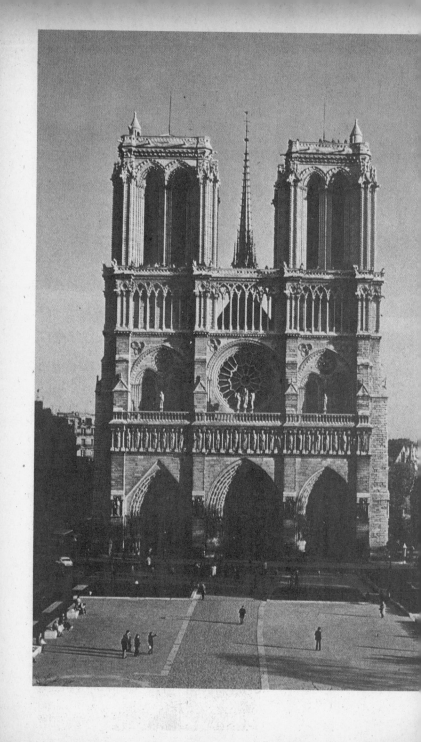

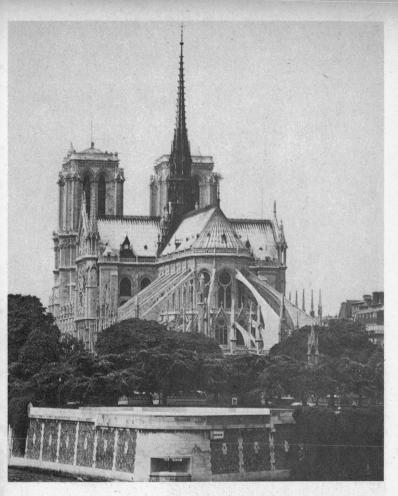

Notre-Dame di Parigi (sopra, l'abside vista dalla Senna; nella pagina accanto, la facciata) è ornata di innumerevoli sculture che rappresentano diavoli, grifoni e altri mostri fantastici (Foto: Archivio Rizzoli).

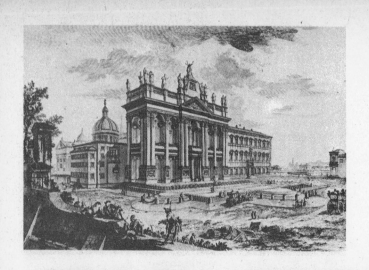

San Giovanni in Laterano è la cattedrale di Roma (nella pagina accanto, una stampa di Giovan Battista Piranesi). Qui a fianco un particolare del portale maggiore: la credenza popolare vuole che il toccare la ghianda propizi la nascita di un figlio maschio (Foto: Fototeca Touring Club Italiano, Marka, Archivio Rizzoli).

Il massiccio aspetto di fortezza della cattedrale di Siviglia è alleggerito per effetto della fotografia notturna. La torre della Giralda, situata nell'angolo nord-est della cattedrale (nella pagina accanto), è sormontata da una enorme statua che gira come banderuola a ogni soffio di vento (Foto: Marka, Archivio Rizzoli).

Piazza san Marco a Venezia, sul fondo la cattedrale coronata da cinque cupole (sotto) placcate in oro. Qui a destra, una scorcio dei famosi cavalli; sotto, il leggendario architetto zoppo della basilica si morde un dito per non essere riuscito ad accontentare il doge e non aver così avuto, nell'interno del tempio, una statua a sua eterna memoria (Foto: Archivio Rizzoli).

Nel braccio est della navata destra di san Marco, un mosaico racconta il trafugamento del corpo del santo da parte di Buono di Malamocco e Rustico da Torcello. In questo particolare i due veneziani caricano la salma sulla nave che dall'Egitto la porterà a Venezia (Foto: Fototeca Touring Club Italiano).

Sebbene non sia cattedrale, san Zeno, capolavoro dello stile romanico, è la più famosa chiesa di Verona. A sinistra, la danza di Salomè, una delle sessanta formelle di bronzo che ornano il portale (Foto: Archivio Rizzoli).

Lo svelto campanile della cattedrale di santo Stefano domina il centro di Vienna (nelle pagine precedenti). La chiesa, ricostruita dopo la distruzione nella seconda guerra mondiale, ha un caratteristico tetto a embrici colorati. Anton Pilgram, autore del pulpito, capolavoro del gotico fiammeggiante, si è raffigurato sotto la sua opera (Foto: Archivio Rizzoli).

tima discendente ed erede legittima della dinastia. Con questo bel boccone nuziale il Barbarossa si sarebbe rimesso dalle batoste appena prese a Legnano, ad opera dei comuni padani. Il vicecancelliere Matteo d'Aiello, uno dei consiglieri di Guglielmo, cercò di convincerlo a negare il consenso, perché l'Italia meridionale sarebbe stata fagocitata dagli svevi, cioè dai tedeschi, gente invisa ai sudditi del regno, nemica d'Italia, dei normanni e della casa d'Altavilla. Gualtieri Ophamil, l'altro consigliere del re, disse tutto il contrario, un po' perché era straniero, e dei sentimenti dei sudditi non gl'importava o non capiva nulla, un po' per fare un dispetto all'avversario Matteo, colpevole, secondo lui, d'aver indotto il re a fondare Monreale, depauperando l'arcivescovado palermitano. Il tiro alla fune tra Matteo e Gualtieri si concluse con la vittoria del secondo, e così la vendetta d'un vescovo arrabbiato contribuì, assieme ad altre cause, a far passare Sicilia, Calabria, Puglia e Campania sotto gli svevi.

Costanza, che aveva varcato la trentina, età a quei tempi veneranda per una nubile, fu tirata fuori da un convento, lavata, stirata, pettinata e mandata sposa al ventenne Enrico. Chi la descrive bella, buona, gentile, chi zoppa e con la faccia storta. Le nozze furono celebrate da Gotofredo, patriarca d'Aquileia, a Milano, in sant'Ambrogio, precedute da un corteo di centocinquanta cavalli (normanni) carichi d'oro, gioielli e suppellettili varie. Il papa Urbano III scomunicò il patriarca che, benedicendo quell'unione, stringeva da nord e da sud in una morsa di ferro, ferro tedesco, le terre della Chiesa. Fu questo il peggior affare di politica estera combinato dal buon Guglielmo.

Morì di lì a poco, a trentasei anni, in partenza per la terza crociata e un agiografico cronista lo pianse come «il fiore dei re, lo specchio dei romani, l'onor dei cavalieri, la speranza degli amici, il terrore dei nemici, la vita dei sudditi, il sostegno dei miseri, la salute dei pellegrini, il conforto degli afflitti». Dante lo collocò in Paradiso, tra i re giusti. Il suo corpo fu sepolto nel duomo, da lui voluto come pantheon di famiglia, dimostrazione di potenza ed esaltazione d'un regno che confinava «da una parte con l'acqua santa e da tre parti con l'acqua salata». L'imparentamento con gli svevi farà cambiare molte cose: da Costanza nascerà Federico II, l'imperatore «laico» che per l'acqua santa avrà scarse simpatie.

La tomba di Guglielmo II il Buono si trova nell'ala destra del presbiterio, accanto a quella del padre, Guglielmo I il Malo, che non lasciò buona memoria di sé (ma alcuni storici l'hanno rivalutato), preferiva alla moglie Margherita di Navarra le servotte, pare anche che ritirasse dalla circolazione le monete di metallo, sostituendole con altre di cuoio. Il sarcofago del Malo non ha iscrizione; per il Buono il poeta Antonio Veneziano (XVI sec.) dettò un enfatico epitaffio in cui lo dichiara superiore ad Alessandro Magno, perché

*utque Bonus Magno longe est praestantior, illo*
*maior Alexandro sic rex Guilielmus habetur*

(come Buono è di gran lunga superiore a Grande, così re Guglielmo è considerato maggiore di quell'Alessandro). E aggiunge «fosti illustre nelle arti della pace e della guerra, e siccome conducevi guerre sempre giuste e pie, così sempre ti arrise una lieta vittoria».

Dopo l'incendio del 1811, si fece una ricognizione delle casse contenenti le salme dei due sovrani. Di Guglielmo il Buono furono trovati il teschio, un po' di capelli rossicci, le ossa avvolte in un drappo. Invece il corpo di Guglielmo il Malo, imbalsamato a regola d'arte, si presentò intatto, come se il decesso fosse avvenuto poche ore prima. Anche la Grande Livellatrice ha le sue ingiustizie.

◊

# San Gennaro filogiacobino
# degradato dai Borboni

◊

Via Duomo: una lavanderia a secco, chincaglierie, abbigliamento, una vetrina di arredi sacri, la cattedrale, poi un negozio di arredamento, uno di maglierie. San Giovanni in Laterano domina mezza Roma, la cattedrale di Napoli è imprigionata fra le botteghe e il traffico, non ha sagrato, è un numero civico allineato a tanti altri, senza soluzione di continuità edilizia. I napoletani il loro duomo, il loro san Gennaro se lo tengono stretto, ingabbiato in un reticolo di vie, viuzze e vicoli affinché veda da vicino i mille bisogni della città. Ma siccome quattro occhi vedono meglio di due, e otto meglio di quattro, essi si sono assicurati, senza con questo voler offendere il patrono, la protezione di altri cinquantuno santi ausiliari, il più numeroso collegio che si sia mai visto di avvocati esercitanti il gratuito patrocinio in cielo, e tutti hanno la loro festa, la reliquia, e il busto d'argento in chiesa.

«Bisogna essere esatti in queste cose» spiega il custode del Tesoro di san Gennaro, «i patroni principali sarebbero sette: Gennaro, Agrippino, Agnello, Aspreno, Eusebio, Severo, Attanasio. A questi vanno aggiunti i "secondari": Tommaso d'Aquino, Andrea, Patrizia, Domenico, Giacomo della Marca, Antonio di Padova, Teresa, Filippo Neri, Gaetano, Nicola...»

«Dimentichi i sei Franceschi» interloquisce la suocera, intenta a scopare la scala.

«Non c'è fretta, arrivo anche a quelli. Dunque, Francesco di Paola, Francesco d'Assisi, Francesco Caracciolo, Francesco di Geronimo, Francesco Borgia, Francesco Saverio. Poi vengono Ignazio, Maddalena, Raffaele, Agostino, Vincenzo...»

«E sant'Antonio, dove lo metti?»

«L'ho già detto.»

«Antonio abate, intendo, quello del porcellino.»

«Arrivo anche a questo, non ti preoccupà. Poi abbiamo san Giovanni della Croce, sant'Alfonso, Pietro martire...»

«Il principe degli apostoli?»

«No; questo è vissuto dodici secoli dopo, era un frate domenicano, inquisitore contro gli eretici, ucciso dagli eretici mentre era in viaggio per Milano. Poi abbiamo Maria Egiziaca, Pasquale Baylon...»

A quest'ultimo santo il 17 maggio le nubili napoletane rivolgono l'ansiosa supplica:

> *San Pasquale Baylonne*
> *protettore delle donne*
> *fateme trovà marito*
> *sano, bello e colorito*
> *come voi, tale e quale,*
> *glorioso san Pasquale!*

Su questo e sugli altri santi compatroni che sarebbe lungo elencare, domina la figura di Gennaro, il patrono principe che improvvisamente, nel febbraio 1964, dopo tredici secoli di ineccepibile servizio, fu «ridimensionato» dalla riforma del calendario liturgico universale. Intendiamoci, egli resta sempre il protettore della città, ma la sua celebrazione è stata confermata come obbligatoria e solenne soltanto per la città di Napoli. Fuori Napoli è facoltativa. Una celebrazione locale, dunque. Per i napoletani fu una stilettata. San Gennaro un santo «facoltativo»? Un santo di serie B? Lui che, come assicura lo studioso napoletano Vittorio Paliotti, ha presagito al cento per cento, col comportamento del suo sangue, epidemie e rivoluzioni, al novantadue per cento la morte di arcivescovi; all'ottantotto per cento le guerre, al settantasette per cento le alluvioni, al sessantotto per cento le eruzioni del Vesuvio? Un santo «locale», lui che è venerato anche nella Little Italy di New York? Ferito nell'orgoglio, il popolino dei bassi reagì, scrivendo sui muri «san Gennà, futtetènne!»

In fatto di patroni, Napoli li volle sempre d'alto rango. Fin da quando si chiamava Partenope. Il primo infatti fu Apollo, nume tutelare della colonia greca che fondò la città. Poi sulle rovine del suo tempio sorse, nel IV secolo, la basilica costantiniana di santa Restituta, una giovane africana convertita al cristianesimo e abbandonata per martirio in una barca col braciere acceso, che miracolosamente si spense permettendole di approdare incolume a Ischia. Nel VI secolo il vescovo Stefano vi affiancò la chiesa detta Stefania che durò, fra incendi e terremoti, fino al tempo degli angioini, quando Carlo I d'Angiò iniziò i lavori dell'attuale cattedrale, subito interrotti dalla sua morte, avvenuta nel 1285. Nella controfacciata del duomo, di cui santa Restituta oggi è una cappella a tre navate, un monumento sepolcrale ricorda il principe francese, che chiamato da papa Clemente IV contro gli svevi, sconfisse Manfredi, decapitò Corradino e fondò la potenza angioina nel sud.

I lavori furono ripresi dal figlio Carlo II e ultimati una decina d'anni dopo da Roberto, mediocre sovrano, perseguitato dalla calunnia d'essersi aperto la via al trono spedendo un fratello in convento e uno all'altro mondo. Non era un'aquila, faceva discorsi da conferenziere noioso, amava circondarsi di libri e d'artisti, scriveva delle cosucce che i cortigiani esaltavano alle stelle. Tuttavia sotto il suo regno Napoli divenne il centro intellettuale più vivace della penisola, la sua corte una delle più gaie e libertine. Napoli era «lieta, pacifica, abbondevole, magnifica» secondo Giovanni Boccaccio che vi lasciò il cuore, una città senza dubbio da preferire alla turbolenta democrazia fiorentina, «piena d'innumerevoli sollecitudini».

Feste in continuità, giostre, musiche, canti, la suggestione d'un paesaggio sensuale, una diffusa tranquillità, si girava senz'armi, i bastoni servivano soltanto per allontanare i cani. L'università sfornava giureconsulti, fisici, dialettici. A corte rimatori e novellieri incantavano le dame vogliose d'amare e d'essere amate; e il giovane Boccaccio, mercante figlio di mercanti, si buttò con entusiasmo nel galante gioco della domanda e dell'offerta.

Su questo sfondo godereccio risalta per contrasto il

plumbeo e bigotto Roberto, capo del partito guelfo italiano, che indossava il saio francescano e donava agli enti ecclesiastici, danneggiando il regio demanio, possessi e privilegi fin nelle più remote province. Napoli aveva più chiese che navi. La moglie Sancia fondò santa Chiara, Roberto portò a compimento il duomo, dedicandolo all'Assunta. Quando Boccaccio arrivò a Napoli, esso era già funzionante e visitato dai ladri, se è lecito attribuire verisimiglianza cronistica alla novella di Andreuccio da Perugia (*Decamerone*, giornata seconda, novella quinta). All'estrema sinistra del braccio destro della crociera, c'è la cappella Minutolo, affrescata con le figure di personaggi della famiglia che combatterono in Terrasanta. Alcuni hanno gli elmi ornati di tromba, semplice o doppia, a forma di cono. La ragione è la seguente: i cavalieri dell'epoca angioina, quando andavano alla giostra, si presentavano suonando la tromba, e l'araldo, dopo averne riconosciuto i titoli di nobiltà, rispondeva con uno squillo di tromba che significava ammissione alla gara. Lo squillo dell'araldo equivaleva a un certificato di nobiltà, perciò i nobili apponevano al cimiero una o due trombe, in forma di cono, a dimostrazione d'aver superato l'esame araldico. In questa cappella, che custodisce le tombe degli arcivescovi Enrico, Orso e Filippo Minutolo, l'avventuroso Andreuccio da Perugia si associa ai ladri per strappare dal dito del cadavere di Filippo un rubino che vale cinquecento fiorini d'oro.

Principi della chiesa e principi del sangue avevano in duomo solenne sepoltura. Invece il povero re Andrea, fatto uccidere dalla moglie (1345), fu trattato come un cane. La moglie era Giovanna, nipote di Roberto, che a sette anni (i principi e i nobili si maritavano nella culla) aveva sposato il coetaneo Andrea, figlio del re d'Ungheria. Appena uscita di minorità, ordì una congiura per sbarazzarsi del marito. Luogo del delitto, il castello di Aversa. Con un pretesto, Andrea fu fatto uscire seminudo dalla stanza nuziale, i congiurati gli balzarono addosso, lo strangolarono con un laccio e lo gettarono dalle mura. Giovanna, a letto, fingeva di dormire. Mani pietose trasportarono a Napoli il corpo del sovrano che restò due giorni sul pavimento del duomo.

Nessuno osava seppellirlo. Il terzo giorno un canonico lo sotterrò provvisoriamente nella sagrestia.

Il popolo in tumulto reclamò la punizione dei colpevoli e Giovanna, per salvarsi, gettò i complici in mano alla giustizia, passando a seconde, frettolose nozze con il cugino Luigi di Taranto, mentre il popolo gridava sotto la reggia: «Morte alla regina puttana». Liberatasi di Luigi, che cercò di far passare per pazzo, Giovanna sposò in terze nozze Giacomo III di Maiorca (che l'abbandonò appena capì con che razza di strega aveva a che fare) e in quarte nozze il condottiero Ottone di Brunswick. Quando questa donna bella, ingorda, dissoluta e scomunicata finì a sua volta strangolata nel castello di Muro Lucano, per ordine di Carlo di Durazzo, conquistatore di Napoli, il popolo commentò: «San Gennaro è giusto».

Napoli e il suo santo s'identificano. Tuttavia Gennaro non è napoletano, lo si apprende dal verbale d'interrogatorio del giudice romano, che lo mandò a morte, durante le persecuzioni ordinate da Diocleziano.

«Quale religione professi?»

«Sono cristiano e vescovo.»

«Di quale città?»

«Della chiesa di Benevento.»

«E chi sono costoro?»

«L'uno è diacono, l'altro è lettore nella mia chiesa.»

«Cristiani anche loro?»

«Certamente. Anzi, se li interroghi, vedrai che non rinnegano la loro fede.»

Il giudice, che si chiamava Draconzio, interrogò Festo, il diacono e Desiderio, il lettore, i quali risposero senza esitazione:

«Siamo cristiani, siamo pronti a morire per il nostro Dio.»

«Sacrificate agli dèi, questo è l'ordine dell'imperatore, e avrete salva la vita.»

Rispose Gennaro per tutti:

«Ogni giorno noi facciamo un sacrificio a Gesù, non ai vostri dèi bugiardi.»

Il giudice ordinò che il vescovo Gennaro, i suoi due

amici, e il diacono della chiesa di Miseno, Sosso, precedentemente incarcerato, fossero dati in pasto agli orsi. Poi la pena fu commutata nella decapitazione. Mentre si avviavano all'anfiteatro di Pozzuoli, per l'esecuzione della sentenza, incontrarono due cristiani, Eutiche e Acuzio, che commisero l'eroica imprudenza di commentarla negativamente, qualificandosi così per cristiani e finendo anche loro con la testa sul ceppo. Era l'anno 305. Il corpo di Gennaro fu portato a Napoli, trafugato durante un assedio arrivò a Benevento, di lì al convento di Montevergine, infine nel 1497 a Napoli. Il sangue che una donna raccolse subito dopo il martirio è conservato in due ampolle, l'una cilindrica, l'altra a forma di pera, chiuse in una teca d'argento dietro l'altar maggiore della cappella del santo, costruita ex voto dopo la peste del 1526. Croce greca con cupola, essa ha sette altari, quarantadue colonne, decine di statue di bronzo e busti d'argento raffiguranti i compatroni, dietro un grandioso cancello barocco di bronzo dorato. Una scritta dice: «Al divo Gennaro, concittadino patrono e salvatore, Napoli liberata dalla fame, dalla guerra, dalla peste e dal fuoco del Vesuvio per opera del suo sangue miracoloso».

È chiamata anche, senza esagerazione, cappella del Tesoro, per le inestimabili ricchezze: candelabri d'argento alti quattro metri, calici d'oro, una pisside d'oro, con novecentotrentadue pietre preziose, donata da Ferdinando II di Borbone, il sovrano che nel 1839 costruì la prima ferrovia italiana, la Napoli-Portici; la mitra d'argento di san Gennaro con tremilaseicentonovantaquattro pietre preziose; l'ostensorio di Gioacchino Murat, ex seminarista che sposò una sorella di Napoleone e divenne re di Napoli; una croce con tredici brillanti e tredici rubini, dono di Carlo di Borbone, e altri preziosi monili offerti dai sovrani locali, grati al cielo per il buon funzionamento delle tre F (feste, forche, farina): un'orgia d'oro e d'argento, un accecante bagliore di gioielli, di cui basterebbe una manciata per comprare mezza Napoli, la città che si toglieva il pane di bocca per coprire d'oro i suoi celesti avvocati, e voleva la cappella sempre più ricca, sempre più spagnolescamente sfarzosa, come se un riverbero di quei preziosi splendori rifluisse, attenuandole, sulle sue infinite miserie.

Per decorare la cappella, la Deputazione decise di chiamare artisti non napoletani. Si voleva ingaggiare il meglio offerto dal mercato italiano. Sennonché la «mafia dei pennelli» insorse terrorizzando con minacce di morte i pittori forestieri che osassero mettere piede a Napoli. Scrive monsignor Franco Strazzullo, storico e archivista della curia: «Nel 1616 la Deputazione si rivolse al romano Giuseppe Cesari d'Arpino, col quale stipulò contratto il 7 marzo 1618, dandogli pure un anticipo di seicento ducati. Passarono due anni senza che il cavalier d'Arpino si facesse vivo a Napoli, al punto che sulla fine del 1620 fu invitato il famoso Guido Reni. Per l'illustre ospite fu comprato un confortevole appartamento, si convenne di pagargli centotrenta ducati per ogni figura a grandezza naturale. Arrivò nel 1622 il maestro bolognese, ma poco dopo scappò da Napoli. Pare che si fosse accorto dell'ambiente infido. Sarà vera la storiella della lettera anonima e delle bastonate date al suo servo? Era rimasto a Napoli il suo allievo, Giovanni Francesco Gessi, felicissimo di sostituire il maestro negli affreschi di san Gennaro. Si dice che i napoletani anche a lui abbiano reso la vita impossibile, costringendolo a fuggire a Roma. Sembra però più vero che la Deputazione abbia tentato un nuovo esperimento: affidare le pitture a un maestro locale (Fabrizio Santafede) e a un bolognese (Gessi). La prova non piacque e nel febbraio 1625 il Gessi fu licenziato. Nel '29, prova e liquidazione di altri due pittori locali: Belisario Corenzio e Simone Papa. A questo punto i Deputati decisero di tentare con qualche altro insigne bolognese e invitarono il Domenichino. Le trattative prendevano una buona piega, quando fu spedita a Roma una lettera anonima con la quale si consigliava al Domenichino di non mettere piede a Napoli, se aveva cara la vita. Questi non ci pensò due volte e restò a Roma, finché i Deputati, ottenuta dal viceré assicurazione che avrebbe protetto il pittore contro la mafia napoletana, non gli spedirono i trenta ducati per il viaggio. Il pittore arrivò a Napoli nel novembre 1630, cominciò a istoriare le lunette sulle pareti, poi mise mano ai sei grandi rami degli altari minori, infine affrescò i quattro pennacchi della cupola. In ultimo stava per iniziare la pittura della cupola, ma il 6 aprile 1641 fu colpito da morte improvvisa. Alcuni dicono che lo avvelenarono».

San Gennaro ha ripagato la fede dei napoletani rispettando i tre appuntamenti annuali: quello del sabato precedente la prima domenica di maggio, anniversario della prima traslazione; del 19 settembre, anniversario del martirio; del 16 dicembre, anniversario dell'eruzione del 1631, miracolosamente bloccata da Gennaro, apparso ai piedi del Vesuvio (ma questo appuntamento si è interrotto nel 1971). Quando una carestia, una pestilenza, una guerra minacciavano la città, la popolazione si riversava in duomo a pregare e piangere.

Nell'estate del 1707 un'eruzione oscurò il sole: buio a mezzogiorno. San Francesco di Geronimo salì sul pulpito e domandò alla folla atterrita:

«Napoletani, è giorno o notte?»

«Notte» gemette il popolo.

«È la notte dei vostri peccati. Pregate e pentitevi.»

L'eruzione cessò.

Se nei tre giorni stabiliti il sangue non si scioglie o ritarda di qualche ora, la gente si allarma, una cupa inquietudine contagia tutti, credenti e miscredenti, perché il ritardo sicuramente non porta buono. Nel 1940 ha ritardato ed è scoppiata la guerra. Nel 1962 ha ritardato di 24 ore e c'è stato il terremoto. Nel giugno 1967, scioglimento fuori programma, e scoppiò la guerra d'Israele.

Da tempo immemorabile i napoletani guardano al sangue miracoloso come a un oroscopo infallibile. Nel 1732, poiché sembrava restio a sciogliersi, un frate si spogliò in chiesa, si flagellò col cordone e accelerò il miracolo. Nel 1710 il popolo spaventato per il prolungato ritardo si prostrò nella cappella «chi con croci, altri con catene e discipline, altri battendosi con pietre, con corone di spine, squarciandosi la carne a sangue... con teschi di morti e ossa in mano» annota un cronista. In una sola occasione Napoli sperò che il miracolo non avvenisse, nel 1799, durante la Repubblica Partenopea, figlia della Rivoluzione francese che puzzava di zolfo al naso del popolino, borbonico e bigotto. Siccome il cielo non può simpatizzare per l'inferno, san Gennaro, si presumeva, avrebbe detto no, manifestando così la sua condanna ai giacobini mangiapreti e il suo attaccamento al pio ancien régime.

La vigilia della festa del santo alcuni francesi si recarono dai canonici del duomo, avvertendoli di non fare scherzi. Il generale francese Thiébault affermò d'aver visto il capo del governo repubblicano puntare la pistola contro il cardinale, gridando: «Se non fate il miracolo, vi uccido». La repubblica, la rivoluzione avevano urgente bisogno d'un avallo celeste, che avrebbe messo a tacere i nostalgici del re. Il 4 maggio, secondo il previsto, il sangue puntualmente si sciolse, fra la costernazione dei filoborbonici, scandalizzati per il «tradimento» del santo (eguale delusione mistico-politica proveranno il 19 settembre 1975 i democristiani, che vedranno liquefarsi velocemente il sangue, sebbene fosse stato appena eletto sindaco il comunista Valenzi).

I «traditori», comunque, vanno puniti. Soffocata nel sangue l'effimera repubblica e restaurata la monarchia, il patrono fu giudicato da una corte marziale, degradato da maresciallo dell'armata borbonica, privato dello stipendio che tutti i mesi gli si recapitava nella cappella, dentro una busta. E dopo averlo impiccato in effigie i napoletani lo sostituirono con un altro protettore, politicamente meno compromesso, sant'Antonio.

Durante l'occupazione angloamericana il miracolo tardò (maggio 1944) e la gente ne attribuì la causa al contegno, a suo avviso, poco riverente degli alleati, in maggioranza protestanti. A Forcella si tennero frementi conciliaboli per decidere il da farsi, alla fine un comitato di popolani inviò al commissario del governo militare alleato una lettera che perentoriamente diceva: «Noi sottoscritti abitanti del rinomato quartiere di Forcella facciamo presente alla Eccellenza Vostra che in data 6 maggio u.s., nella chiesa del Gesù Nuovo, non ebbe a verificarsi l'atteso miracolo di san Gennaro patrono di Napoli, a causa della presenza in chiesa di soldati angloamericani che sghignazzavano increduli della potenza del santo, il quale santo appunto manifestò la sua indignazione rifiutandosi di fare il miracolo, con grave pregiudizio delle sorti della città di Napoli. I sottoscritti abitanti del rinomato quartiere di Forcella rivolgono istanza alla Eccellenza Vostra, affinché nel prossimo 19 settembre, festa di san Gennaro, non abbiano a ripetersi episodi del genere. Gli angloamericani che dipendono dalla Eccellenza Vostra saranno liberi di accedere al duomo, ma dovranno impegnarsi a inginocchiarsi quando noi altri ci inginocchiamo, a pregare quando noi altri preghiamo, e a scattare sull'attenti a un segno dato da persona da noi designata, non appena, com'è nei nostri auspici, il sangue comincerà a liquefarsi. I sottoscritti abitanti del rinomato rione di Forcella declinano ogni responsabilità in caso di tumulti, tafferugli, sparatorie e simili che potranno verificarsi nel caso che i soldati angloamericani non mantengano un atteggiamento devoto e riguardoso, quale merita il santo più venerato del mondo».

La petizione recava centinaia di firme. Nel giorno stabilito, molti forcellesi andarono in chiesa con la rivoltella in tasca, ma non ci fu bisogno di usarla, i soldati alleati si comportarono col massimo rispetto. E quando finalmente il sangue si liquefece, la truppa straniera s'irrigidì sull'attenti, in un'immobilità assoluta, come le guardie ai cancelli di Buckingham Palace. Diede l'attenti un napoletano verace, Vicienzo 'o Stuorto.

Tra la città e il patrono corre un rapporto confidenziale, familiare, e, come accade tra familiari, talvolta litigioso. Fino a una ventina di anni fa, se il miracolo ritardava, le devote provocavano il santo insultandolo con frasi di odio-amore, come fa una madre col figlio discolo: «San Gennaro faccia gialla, faccia verde», alludendo alla maschera d'oro che ne ricopre il teschio. E in prima fila stavano, per tradizione plurisecolare, le sedicenti «parenti di san Gennaro», una congrega di pie vecchiette che conoscevano a memoria preghiere in dialetto antico e le tramandavano di vecchietta in vecchietta, storpiando le parole in modo che «san Gennaro, stennardo (stendardo) di Gesù Cristo» divenne «san Gennaro, stentato di Gesù Cristo», mentre «san Gennaro gluriuso» lasciò il posto a «san Gennaro curiuso». Ecco un campione:

> *Stentato per la santa Fede*
> *e lu Padre e lu Figlio*
> *che t'ha fatto santo*
> *accrisce la nostra santa Fede*
> *santu bello*
> *e 'o vulimme*
> *dei fratelli 'e Gesù Cristo*
> *sia lodato sempre chi t'ha creato*
> *e lu Spirito Santo*
> *per la santa Fede*
> *e dà Fede a chi nun crere*
> *ca nuie crerimmo*
> *ca nuie ci avite 'a liberà*
> *santu bello.*

Liquefattosi il sangue, esultavano:

> *Popolo mio va' te confessa*
> *e non peccare più*
> *chisto è stato san Gennaro*
> *che ha pregato a lo buon Gesù.*

Le «parenti» non esistono più. L'ultima fu Esterina Sellitti, morta alcuni anni fa, ottuagenaria e cieca. La curia non riconosce più a nessuno tale qualifica, comparsa nel secolo scorso, per autoattribuzione di un gruppo di donne che pretendevano non solo di essere discendenti del santo (morto celibe), ma di avere anche il diritto di rimproverarlo, di insultarlo, se il miracolo tardava. Ora le affettuose insolenze sono vietate, il rito ha guadagnato in severità quello che ha perduto in chiassoso folclore, quel folclore che mandava in sollucchero i viaggiatori e i narratori tra Otto e Novecento.

Sebbene nei registri dell'anagrafe il nome di Gennaro sia oggi sopravanzato da quello di Diego (Maradona), resta tuttavia valido quanto scrisse Alessandro Dumas, al seguito di Garibaldi dopo la spedizione dei Mille: «San Gennaro non sarebbe esistito senza Napoli né Napoli potrebbe esistere senza san Gennaro». Nelle gravi congiunture, nelle cause disperate, i napoletani ricorrono a lui. Come sul finire del Quattrocento quando re Federico, premuto da francesi e spagnoli ansiosi di strappargli il regno, per salvarsi offrì Taranto ai Turchi, e una canzonetta che si cantava in quegli anni, intitolata *Son quel Regno sfortunato*, diceva in una strofa:

> *Se non veggo pace o tregua*
> *chiamerò in mare e in terra*
> *el Gran Turco con sua guerra*
> *come Regno sfortunato.*

Racconta Benedetto Croce che i napoletani si riunirono in arcivescovado, ascoltarono la messa, all'elevazione dell'ostia alzarono il braccio giurando fedeltà a Federico, poi portarono in processione la testa di san Gennaro «piangendo di amore e di benevolenza». Ma i grandi baroni tradirono il re, passando chi agli spagnoli, chi ai francesi, secondo l'antica consuetudine di accorrere in aiuto del vincitore, o presunto tale. La vittoria finale arrise agli spagnoli che del Regno indipendente fecero un vicereame, retto da ministri stranieri, in nome di sovrani irraggiungibilmente lontani. Per fortuna, rimase in loco san Gennaro. Forse fu lui che diede alla gente partenopea la forza di opporsi per ben due volte agli eccessi dell'Inquisizione. La prima sotto Carlo V, la seconda sotto Carlo di Borbone.

Racconta Pietro Colletta che «l'arcivescovo nominò i consultori, i notai, formò il sigillo proprio per i processi, preparò carceri, vi chiuse parecchi per materia di fede e a due di loro fece eseguire la cerimonia dell'abiura. Imbaldanzito da quei primi passi, dal silenzio del popolo, dagli elogi del pontefice e dalla religione di Carlo di Borbone, fece scrivere in pietra ed esporre all'ingresso della casa "Sant'Ufficio". È noto per le nostre istorie quanto i napoletani abominassero quel nome. Miracolo a dire! Il popolo credente, superstizioso, ignorante, al semplice sospetto d'inquisizione levasi a tumulto, sconosce e minaccia l'autorità del principe, assedia e vince; quello istesso popolo che accoglieva e arricchiva i chierici scalzi, che a gran prezzo comperava gli ossi e le reliquie de' cinque nuovi santi, veduto il cartello nel palazzo arcivescovile mormora, si commuove, minaccia di morte due cardinali... L'arcivescovo Spinelli fu costretto dall'odio pubblico a rinunciare al seggio arcivescovile e lasciare la città».

I napoletani si sentivano così ammanigliati coi potenti del cielo, tramite san Gennaro, da sfidare quelli della terra. Ma non è esagerata questa superveneraziorie d'un santo, addirittura un sindacato di santi a tutela d'una città? Che cosa si può rispondere ai protestanti, all'accusa di «politeismo cattolico»?

«Alla base c'è la buona fede» risponde monsignor Strazzullo, «e la buona fede riscatta ogni eccesso. Però è anche vero che molta gente porta candele, piange, fa giuramenti a san Gennaro o altri santi, e quando passa davanti all'altare del Santissimo nemmeno s'inginocchia. Qualche colpa hanno anche certi preti che non rammentano ai fedeli, specialmente ai meno evoluti, che Dio viene prima, e sta al di sopra dei santi.»

La buona fede, senza dubbio, assolve sempre. Quella commovente buona fede, quel fiducioso abbandono per cui i napoletani vollero collocato in duomo il *passus ferreus*, unità di misura formata da un'asta di ferro lunga sette palmi e mezzo, per misurare i terreni, e posero il campione prototipo accanto al trono vescovile. Lì sarebbe diventato sacro e intoccabile. Nessuno l'avrebbe falsificato. Vicino al pulpito dove si predicava il vangelo, anche il *passus ferreus* doveva essere vangelo per tutti. Per questa stessa buona fede si appellano a san Gennaro, la mattina appena svegli, le migliaia di napoletani costretti a inventare il cibo quotidiano, i Marconi del pranzo, gli Einstein della cena. Lui invocano le vecchine al botteghino del lotto, il disoccupato che esibisce su una sedia bottoni scompagnati col cartello «sensazionale, dieci per lire cento», il vagabondo improvvisatosi «guida autorizzata», il guaglione che sale sui treni a occupare un posto e lo cede, prima della partenza, per cinquecento lire; la «polmonara» che battendo coltello contro forchetta convoca i gatti del vicolo, li sfama con pezzi di polmone, poi con un cappellaccio di paglia coglie al volo le monetine che piovono dalle finestre. A lui si affidano i malavitosi che si sono fatti tatuare la santa immagine sul braccio; i testimoni disponibili, a modico prezzo, per qualsivoglia atto notorio; i falsificatori di musicassette; i «pittori di occhi di pesce» visti al lavoro da Luciano De Crescenzo, mentre ravvivavano lo sguardo ai pesci invenduti; e i contrabbandieri di sigarette che, forti del celeste appoggio, sfidano le autorità esponendo il cartello «Riunione di tutti i contrabbandieri napoletani, giovedì 15 alle ore 10, davanti all'università di Scienze, via Mezzocannone 16. Tema dell'incontro: Il contrabbando non si tocca».

◊

# La Rivoluzione trasforma
# Notre-Dame in magazzino

◊

Mantello nero sulla veste nera orlata di due fasce di velluto rosso, un fiocco blu dietro la schiena, i canonici di Notre-Dame, cantato vespro, rientrano in sagrestia. Il mantello ondeggia, sembrano moschettieri; sul petto ciondola appesa a un cordone blu la medaglia di Napoleone: da una parte l'aquila imperiale, dall'altra la Vergine. Soltanto i diciotto canonici titolari portano questa distinzione, e sembrano fieri di portarla, perché se Napoleone condusse prigioniero in Francia un papa, Pio VI, e ve lo tenne fino alla morte, poi fece ammenda restituendo al culto Notre-Dame, che la Rivoluzione aveva trasformato in un magazzino. I canonici pregarono sempre per il capo dello Stato, in questo tempio nazionale dei francesi. Durante l'ancien régime recitarono il *Domine salvum fac regem nostrum Lodovicum*, Signore, salva il nostro Re Lodovico (equivalente a Luigi); nel 1793, ghigliottinato Luigi XVI, recitarono *Domine salvam fac rem publicam*; nel 1804 sostituirono *imperatorem nostrum Napoleonem*; dopo Waterloo, ripristinarono *regem Lodovicum*, che cedette il posto a *regem Carolum* cioè a Carlo X, fratello di Luigi XVIII. Nel 1830, dopo la rivoluzione di luglio, nella preghiera comparve *regem Lodovicum Philippum*, nel 1848 ancora *rem publicam*, nel 1852 *imperatorem nostrum Napoleonem*, e nel 1870, dopo la sconfitta di Sedan, gli obbedienti canonici invocarono per la terza volta *rem publicam*.

Anni addietro domandai a monsignor Bernard Calle, maestro di cerimonia: «E adesso, pregate *Domine fac salvum praesidentem Pompidou?*».

«No, sebbene debba riconoscere che Pompidou è un buon cattolico.»

«Celebrate messe in latino?»

«Qualche volta. In questa chiesa, per un francese che entra, entrano due tedeschi, tre angloamericani, un italiano, così il latino torna alla sua funzione di lingua universale. Fu ascoltando un inno latino in onore della Madonna, il *Magnificat*, che Paul Claudel si convertì. Questa pietra sul pavimento, con la data 25 dicembre 1886, indica il punto esatto in cui si trovava quando fu toccato dalla grazia.»

Se il *Magnificat* è l'esaltazione canora della Vergine, Notre-Dame ne è l'esaltazione architettonica. La sua nascita, come quella delle maggiori chiese di Francia e d'Europa, va collegata al prodigioso risveglio che, passato l'incubo del Millennio, fece rifiorire le attività economiche, le passioni e le autonomie politiche, comuni contro impero, borghesia contro nobiltà. Nacquero i mercati, la libera concorrenza, le cambiali, le prime società anonime. Al risveglio economico s'accompagnò quello tecnologico, fu inventata la carriola, che da sola svolge il lavoro di due uomini, si utilizzarono i mulini ad acqua, si scavarono i primi pozzi artesiani. Per sollevare i materiali nei cantieri, non essendo possibile, data la vicinanza delle case, usare i piani inclinati come alle Piramidi d'Egitto, fu inventata una macchina formata da una coppia di grandi ruote parallele, legate da pioli trasversali, e un uomo camminandovi sopra le faceva girare col proprio peso, come fa lo scoiattolo quando salta nella gabbia circolare. Si scoprì inoltre, meraviglia delle meraviglie, che applicando ai quadrupedi il collare sulle spalle, invece che sul collo, non solo non si facevano soffrire inutilmente le povere bestie, ma si otteneva un rendimento assai maggiore.

Nel giro di tre secoli la sola Francia eresse ottanta cattedrali, cinquecento grandi chiese e migliaia di chiese parrocchiali. La media dell'Occidente cristiano era di una chiesa ogni duecento abitanti. La chiesa era il centro della vita del popolo e quella di campagna si chiamò pieve, dal latino *plebem*, popolo, poi corrotto in *piebe*, *pieve*. Abbiamo già visto che fra le varie città lo spirito campanilistico (è la parola) accese una gara a chi facesse la chiesa più prestigiosa. Ecco quindi sorgere nel 1163 Notre-Dame di Parigi, con la volta alta trentatré metri, ma il suo primato durò poco, infatti nel

1194 glielo strappò Chartres, con trentasei metri e cinquantacinque centimetri. Agli inizi del Duecento balzò in testa Reims, con trentasette e novantacinque, e nel 1221 Amiens, con quarantadue e trenta. Con questo tour dell'orgoglio architettonico cominciò la grande «crociata delle cattedrali», chi vi partecipava con offerte o prestazioni manuali otteneva le stesse indulgenze di chi andava a combattere contro gl'infedeli. Nobili e popolani lavorarono a spezzare gratis le pietre, non meno dure del cuore d'un musulmano. La «crociata» dilatò il regno di Dio in senso verticale, innalzando guglie guizzanti verso le nubi come folgori capovolte: un affettuoso assalto al cielo, quasi un'impazienza di lasciare questa valle di lacrime, il cui equivalente murario fu la vertiginosa verticalità dello stile gotico.

I goti, nel nome, non c'entrano. È un prodotto tipico della Francia del nord, subito dopo il Mille. Alla parola hanno tentato di dare due etimologie: una celtica, da *Ar Goat*, paese del legno, in quanto la costruzione d'una chiesa richiede parecchio legname; una greca, da *gòes-gòetos*, stregone, che suggerisce, agli iniziati alle discipline esoteriche, l'idea di un'arte magica. Il bianco mantello di cattedrali di cui parla Rodolfo il Glabro fu dedicato alla Madonna per la particolare venerazione di cui essa era oggetto nel medioevo. Scrive Georges Duby, in *L'arte e la società medievale*: «La Vergine madre cancella i peccati della donna, scaccia il demonio, fuga le tentazioni oscure e i sogni impuri, e li riscatta. Le effusioni mistiche di tutti gli uomini votati alla castità, dei canonici costretti al celibato, si orientarono spontaneamente verso di lei... La Francia in quel tempo scopre l'amore, l'amore cortese e l'amore per Maria, ambiguamente commisti. Compito dei prelati e soprattutto dei monaci fu di sublimare l'erotismo carnale, appropriandosi di tali correnti di sensibilità e incanalandole nella liturgia della chiesa. Pietro il Venerabile, abate di Cluny, Bernardo di Chiaravalle e molti altri composero in onore della maestà della Vergine inni e sequenze che fra lo splendore delle luminarie e il fumo dell'incenso s'inserivano come gemme nella cadenza del canto liturgico: magici riti che preludevano al rito più grande della consacrazione della Madre di Dio».

Ogni episodio e aspetto della sua vita aveva una festa nel calendario, il nome di Maria, l'immacolata concezione, l'annunciazione, i sette dolori, l'assunzione al cielo. La giornata del contadino, del conte e del borghese era aperta e chiusa dalle campane dell'Ave Maria, bastone acustico per il docile gregge. Maria fu anche la regina delle crociate in Terrasanta e ne mitigò gli orrori. San Domenico iniziò nel Duecento la pratica del rosario e le novellatrici del *Decamerone* il sabato tacciono e digiunano, per rispetto alla Vergine. I distillatori di acquavite, mancando strumenti scientifici per misurare la temperatura, la calcolarono empiricamente con la seguente formula: «un grado di calore che permetta di tenere una mano sulla cucurbita per la durata di un'Avemaria». Cristoforo Colombo chiamò una caravella Santa Maria, l'irascibile Ignazio di Loyola per poco non uccise un moro che ne aveva messo in dubbio la verginità.

Maria fu nel medioevo l'avvocata dell'umanità e questa le pagò la parcella dedicandole splendide chiese. Quella di Notre-Dame fu dovuta a Maurice de Sully, figlio d'una contadina che raccoglieva legna sulle rive della Loira. Diventato maestro di teologia e vescovo di Parigi, Maurice abbatté due vecchie e piccole chiese sull'isola della Senna, dedicate a santo Stefano e a Notre-Dame, e nel 1163 pose la prima pietra del nuovo edificio, presente, narra la tradizione, papa Alessandro III, il patrono della lega lombarda contro il Barbarossa. La nuova chiesa, che sarà ultimata nel 1330, doveva risultare degna dei parigini e della loro fede, e degna dei re, che l'avevano scelta come cattedrale della monarchia.

Contro questo trionfalismo, che misurava la fede in metri cubi, si alzarono voci sdegnate e solitarie. Pierre le Chantre scrisse nella *Summa ecclesiastica*: «Le absidi delle nostre chiese dovrebbero essere più umili a causa del mistero che simboleggiano, perché Cristo, che è anche alla nostra testa, che è il capo della chiesa, è più umile della sua chiesa». E san Bernardo, austero frate cistercense in polemica con l'ordine dei cluniacensi, costruttori di chiese fastose: «A che serve a dei poveri come voi, sempre che siate davvero poveri, tutto l'oro che splende nei vostri santuari? Si espone la statua d'un santo o d'una santa e tanto più la si crede santa quanto più è variopinta; ci si affolla per baciarla e nel contempo ci domandano un'offerta; e tutti questi segni di rispetto non sono diretti alla santità dell'oggetto, bensì alla sua bellezza. Più che delle corone, si appendono nelle chiese delle ruote, cariche di perle, circondate da lampade e incrostate di pietre preziose, d'uno splendore ancor più smagliante delle lampade. Invece di candelabri, si vedono veri e propri alberi di bronzo mirabilmente cesellati e carichi di gemme sfavillanti come la luce dei ceri. Oh vanità delle vanità, ma più follia che vanità! La chiesa scintilla da ogni lato mentre il povero ha fame. I muri delle chiese son coperti d'oro, i figli della chiesa restano nudi».

Parole al vento. Il popolo voleva la chiesa grande, bella, ricca, perché era la sua casa, oltre che la casa del Signore. A differenza di altre religioni, il cristianesimo ammetteva il profano nel tempio, non lo esiliava fuori del sacro recinto. Ma se la chiesa è la casa di Dio e l'uomo è figlio di Dio, dove andrà a rifugiarsi l'uomo senza casa? Nella casa del Padre. Per lungo tempo i mendicanti di Parigi, non sapendo dove andare, dormirono in Notre-Dame, e nel 1428 i canonici sudarono sette tonache per convincerli a stare almeno un po' lontani dall'altar maggiore. «I mendicanti erano diventati, verso la fine del Medioevo, una piaga spaventevole» scrive Huizinga, «a frotte infestavano le chiese e disturbavano le sacre funzioni con i loro lamenti e i loro clamori; fra essi c'erano molti pessimi soggetti, *validi mendicantes*.» Ed Eustache Deschamps, gaudente poeta di corte, esorta i preti a cacciarli col bastone, ucciderli, bruciarli.

Il 2 febbraio 1492 botte da orbi in cattedrale. Parigi mal sopportava d'essere diocesi suffraganea dell'arcivescovado di Sens, e quando l'arcivescovo venne a celebrare, presente il re, la messa, due canonici spalleggiati da robusti sacrestani aggredirono il corteo, l'arcivescovo ricevette una gomitata nel petto dal decano del capitolo, il suo cappello volò lontano. Ingiuriato e malmenato, il presule riuscì a scappare, poi si fece un processo per accertare le responsabilità. Durò tredici anni.

Alternando barboni e grandeur, Notre-Dame vide transitare sotto le sue arcate, fra matrimoni, battesimi e funerali, tutta la storia di Francia. Non si contano i *Te Deum* (*Te Deum laudamus, te Dominum confitemur*, te Dio lodiamo, te Signore riconosciamo) cantati per ringraziare Iddio delle vittorie in guerra, secondo la solita usanza di arruolarlo sotto le bandiere nazionali. I re di Francia invocavano san Dionigi, gl'imperatori del Sacro romano impero san Maurizio, gli spagnoli san Giacomo, i veneziani san Marco, i ghibellini di Arezzo, alla battaglia di Campaldino, san Donato. Per la cattedrale, il XVIII secolo fu il più disastroso.

Si cominciò con l'altar maggiore. L'architetto Jules Hardouin-Mansart, inventore degli abbaini, chiamati dal suo nome mansarde, e costruttore del Trianon per conto del Re Sole, distrusse l'altare maggiore risalente al tredicesimo secolo, le tribune, gli stalli, i bassorilievi del coro, le statue dei giacenti e dei gementi sulle antiche tombe di marmo e di bronzo. Tutto l'insieme ebbe una sistemazione barocca, secondo il gusto del secolo che detestava il gotico, considerato rude e selvatico. Nessuno protestò quando furono dipinte di bianco le pareti decorate di affreschi plurisecolari, né quando furono tolte dalle finestre le vetrate a colori per sostituirle con altre, acquose, recanti il fiordaliso, emblema di casa Borbone. Non è finita. Nel 1771, siccome i baldacchini delle grandi processioni stentavano a passare per la porta centrale, detta del Giudizio Universale, l'architetto Jacques-German Soufflot, autore della nuova chiesa di santa Genoveffa e più tardi del Pantheon, invece di abbassare i baldacchini sventrò la porta, distruggendo preziose sculture del XII secolo, tra cui la *Resurrezione dei morti* e una parte della *Pesatura delle anime* (poi rifatte nel secolo successivo).

In questo portale, come a Chartres, l'arcangelo Michele pesa su una bilancia le buone e le cattive azioni degli uomini, schierando da un lato gli eletti, dall'altro i reprobi che i demoni spingono recalcitranti verso l'inferno. C'è chi cade in una pentola bollente, chi si aggrappa ai bordi ma rospi orrendi gli mordono le dita. Un re, un vescovo, un monaco sono schiacciati sotto i piedi d'una megera dal seno enorme, la Lussuria (sportiva autocritica del clero). Bestie schifose tormentano i dannati, penetrando in bocca, negli orecchi, con un realismo efferato, a scopo pedagogico, che sottintende il monito: rigate dritto, se non volete fare la stessa fine.

Soufflot sventrò la porta centrale; quelle laterali (della Vergine e di sant'Anna) restarono intatte. Le protesse forse la cupa leggenda delle loro serrature? Vale la pena di raccontarla. Esse erano state commissionate a un fabbro, di nome Biscornet, il quale sentendosi impari all'arduo compito chiamò il diavolo. Temeva di perdere la reputazione, se avesse fatto un lavoro scadente, perciò preferì perdere l'anima, offrendola al principe delle tenebre, in cambio del suo aiuto. Il giorno dell'inaugurazione i canonici cercano il fabbro, per congratularsi con lui per l'opera mirabile, da grande artista, e lo trovano svenuto presso la sua officina. «Tu ti affatichi troppo, devi riposarti» lo consiglia un amico. Invece era svenuto per lo spavento, vedendo quel capolavoro che tutti credevano opera sua. Applicate le serrature alle porte, non fu possibile aprirle, il diavolo le aveva bloccate. Ma ecco l'antidoto: una spruzzatina d'acqua santa e le porte si aprono. Sconvolto dai rimorsi il povero Biscornet perdette l'appetito, il sonno, la voglia di vivere e poco dopo morì.

Qui bastò un po' d'acqua benedetta per sconfiggere il diavolo. Altre volte egli si sconfigge da sé perché, nonostante la sua celebrata astuzia diabolica, trova qualcuno più diabolico di lui. Per esempio, Nostradamus ne ottenne l'aiuto in cambio del proprio corpo, da prelevare post mortem, in qualunque posto fosse stato sepolto, chiesa o luogo aperto. Con questa clausola la preda era assicurata. Sennonché Nostradamus dispose nel testamento d'essere sepolto sotto il muro della sacrestia, né dentro né fuori, così il diavolo restò a mani vuote.

Torniamo a Notre-Dame. Dopo le devastazioni dei restauratori barocchi, la cattedrale subì quelle dei rivoluzionari atei. Il 15 luglio 1789, il giorno successivo alla presa della Bastiglia, l'astronomo Jean-Silvain Bailly, sindaco di Parigi e una delegazione dell'Assemblea nazionale festeggiarono la vittoria del popolo cantando in Notre-Dame un *Te Deum* che sembrò incanalare verso la moderazione il grande evento rivoluzionario. Ma si trattò d'una breve illusione. L'anno seguente fu ordinato l'inventario di tutti gli oggetti di valore e il 22 novembre i canonici dovettero sloggiare. Per fermare l'armata prussiana guidata dal duca di Brunswick, la Rivoluzione fece fondere i reliquiari, i candelabri, i crocifissi di bronzo, le campane, che divennero cannoni. Poi si frugò nelle tombe, a ripescare anelli; col piombo delle bare arcivescovili si fabbricarono palle d'artiglieria. Non era la prima volta che Notre-Dame vedeva i sacri arredi convertiti in materiale bellico. Due secoli prima, i canonici avevano dovuto fondere vasi preziosi e il reliquiario in oro, contenente il braccio di sant'Andrea, per aiutare il re nella guerra contro gli ugonotti.

Nel 1793, giustiziato Luigi XVI, la Rivoluzione deliberò che nessun segno della regalità sopravvivesse, perciò abbatté, credendoli re di Francia (Clodoveo, Pipino, Carlomagno...) le statue dei re dell'Antico Testamento, allineate nella galleria della facciata occidentale. Presi al laccio, i ventotto personaggi di pietra furono trascinati al suolo e frantumati. Uno dei maggiori responsabili della distruzione fu il pittore Louis David, che addirittura propose al Comitato dell'istruzione pubblica di erigere un monumento raffigurante il popolo francese, sopra un piedistallo fatto con i cocci delle statue abbattute. A questo acceso repubblicano che votò la condanna a morte del re e poi fece parte del governo del Terrore, il furore antimonarchico non impedì (volubilità d'artista) di diventare il pittore ufficiale di Napoleone e dipingere il famoso quadro dell'*Incoronazione*, esposto al Louvre.

Tutto ciò che poteva offendere gli occhi repubblicani, perfino le vetrate con i fiordalisi di casa Borbone, fu distrutto senza pietà. Essendo materialmente impossibile ghigliottinare Notre-Dame, i giacobini le amputarono la guglia del transetto. Poi eressero nella crociera un palco alto cinque metri e vi esposero i busti di Voltaire, Rousseau, Franklin,

Montesquieu, con la scritta «Alla Filosofia». Per rendere popolare il nuovo culto, promosso da Pierre-Gaspard Chaumette, ex mozzo, ex chirurgo dei frati, che finirà ghigliottinato da Robespierre, fu ingaggiata una vecchia ballerina dell'Opéra, che scortata da pifferi e tamburi fu portata in trono, il 20 Brumaio dell'Anno Secondo (10 novembre 1793), vestita di bianco, un berretto frigio in testa.

Era la Dea Ragione, alla quale fu solennemente bruciato l'incenso, mentre un coro «laico» cantava

> *Discendi, o Libertà, figlia della Natura,*
> *il popolo ha riconquistato il suo potere immortale,*
> *sulle pompose macerie dell'antica impostura*
> *le sue mani innalzano il tuo altare.*

Successivamente l'ex cattedrale fu messa all'asta. Il fondatore del socialismo utopistico francese, Claude-Henri de Rouvroy, conte di Saint-Simon, combattente con Washington nella rivoluzione americana (famosa la sua affermazione che una famiglia di operai vale più della famiglia reale), la comprò. Intendeva raderla al suolo. Ma le pratiche dell'acquisto si arenarono per alcune formalità di procedura, e non se ne fece nulla. Ecco uno dei pochi casi in cui bisogna ringraziare la lentezza della burocrazia. Per qualche anno il tempio fu adibito a magazzino di vini, 1.500 tra botti e damigiane.

E arriviamo al 1831, quando Victor Hugo pubblica il romanzo *Notre-Dame de Paris*. Siamo in pieno romanticismo, restauratore dei valori culturali e umani del medioevo. Il rinascimento aveva disdegnato lo stile gotico, giudicato rozzo, primitivo, barbarico. Il Settecento dei nèi e dei cicisbei aveva restaurato la chiesa, abbiamo già visto, a modo suo, guastandone l'antica, rude purezza. Tutto questo mandò sulle furie Victor Hugo, che maledì le mode. «Le mode hanno fatto più danni delle rivoluzioni. Hanno tagliato nella carne viva, hanno intaccato nello scheletro dell'arte... hanno sfacciatamente applicato in nome del *buon gusto*, sulle ferite dell'architettura gotica, le loro misere, effimere cianfrusaglie, i loro nastri di marmo, le loro nappine di metallo, vera lebbra di òvoli, di volute, di ghirigori, di drappeggi, di ghirlande, di frange, di fiamme di pietra, di nuvole di bronzo, di amorini obesi, di cherubini paffuti... L'arte magnifica creata dai vandali fu uccisa dalle accademie. Ai secoli, alle rivoluzioni che devastavano sì, ma con imparzialità e grandezza, è venuto ad aggiungersi lo sciame degli architetti di scuola, patentati, giurati, legalizzati, che preferiscono e adottano soluzioni di gusto deteriore, sostituendo i fronzoli del Luigi XV ai merletti gotici, a maggior gloria del Partenone. È il calcio dell'asino al leone morente.»

Questa violenta requisitoria si legge nel romanzo, di cui è protagonista la cattedrale con i suoi cupi silenzi, le sue caverne d'ombra dove si aggira il mostruoso sacrestano Quasimodo, un trovatello raccolto sul sagrato, la domenica in Albis e battezzato con la prima parola dell'*Introito* della messa di quel giorno *Quasi modo geniti infantes...* Il sagrestano è l'anima della cattedrale, angelo e demone, anzi più demone che angelo, considerata la sua bruttezza; così brutto che i vampiri, i grifoni, i mostri di pietra che ornano la cattedrale non possono non volergli bene, lo credono uno dei loro. Fra tutti coloro che amano la zingarella Esmeralda, Quasimodo, date queste premesse, è il meno favorito, ma quando la donna viene, sotto falsa accusa di omicidio, condannata a morte, lui la rapisce e la nasconde sui tetti della cattedrale. A proposito, dov'è la cella di Esmeralda?

«Fantasie di romanziere» risponde spazientito un custode.

«E del suo predecessore Quasimodo, scusi l'accostamento, non v'è alcuna traccia, nulla che ne ricordi la presenza?»

«L'ho già detto: tutte invenzioni di Victor Hugo. Oh, grande romanziere, intendiamoci, ma non ha pensato che metteva nei guai le guide, i sagrestani. I turisti ci restano male, sembra quasi che non li vogliamo accontentare.»

La pubblicazione del romanzo sollevò un'ondata d'interesse per il vetusto monumento, massacrato prima dai restauratori, poi dai rivoluzionari. Il governo stanziò la somma di 2.650.000 franchi, incaricando dei lavori gli architetti Lassus e Viollet-le-Duc, supervisori Victor Hugo, i conti

Beugnot, de Bondy, de Gasparin, de Rambuteau, il duca de La Force e lo scrittore Montalembert. Morto Lassus, Viollet-le-Duc proseguì da solo, ripristinando fra critiche e polemiche altari, statue e bassorilievi distrutti dalla Rivoluzione, da Soufflot, da Mansart; eresse una guglia in sostituzione di quella del XIII secolo, abbattuta nel XVIII, ripopolò il tetto di chimere e di grifoni. «Questi animali orrendi» incalza il custode «rappresentano il male, il peccato, e sono stati collocati all'esterno della chiesa per significare la vittoria della fede. È la Vergine che li ha fatti fuggire.»

Si cercò di ricostruire il tesoro saccheggiato e disperso. Anticamente nella cattedrale si veneravano le ossa di sant'Anna, patrona degli orefici; un dito di san Nicola guaritore; la costola del re san Luigi, donata da Filippo il Bello sperando di farsi perdonare lo schiaffo di Anagni; un dito del Battista; un braccio di san Simeone. Poi si facevano i cambi, come tra collezionisti: per un frammento del cranio di san Dionigi (il martire che, decapitato dai romani sul colle di Montmartre, si chinò a raccogliere la propria testa) il capitolo ebbe, dal duca di Bligny, la testa dell'apostolo Filippo. Inoltre nel XVII secolo si dava per certa la presenza d'una ampolla contenente il latte della Vergine. Attualmente i pezzi più ammirati sono la corona di spine, acquistata da san Luigi, un chiodo della Croce, un frammento della medesima lungo 22 centimetri, e il Cristo d'avorio donato alla favorita Louise Lavallière dal re Sole, il monarca la cui morte il popolino finse di piangere, strizzandosi cipolle negli occhi.

Notre-Dame corse un brutto rischio anche dopo i restauri di Viollet-le-Duc. Il 26 maggio 1871, ai tempi della Comune, i rivoluzionari accatastarono tutte le sedie mettendovi sotto del fuoco a covare lentamente. Ma un condannato a morte che stava per essere fucilato svelò la cosa al confessore, il quale diede l'allarme e la chiesa fu salva. Un'altra versione parla di barili di petrolio rotolati in chiesa, ma alcuni studenti di farmacia, che lavoravano nel vicino Hôtel-Dieu, chiamarono i pompieri che spensero le fiamme. Non poterono avvertire l'arcivescovo, monsignor Georges Darboy: era stato fucilato due giorni prima.

Da un secolo la cattedrale non corre più rischi del genere ed è tornata alla sua riconosciuta funzione di tempio nazionale dei francesi: *Te Deum* per la vittoria del 1918, funerali del maresciallo Ferdinand Foch nel 1929, suono delle campane per la liberazione di Parigi il 24 agosto 1944. Quando scende la sera, usciti gli ultimi visitatori, sulla più grande chiesa di Francia, che è anche la più piccola parrocchia di Parigi, discendono morbide penombre turchine, trafitte dai riflettori che, dalla Riva Sinistra, frugano nel colossale cespuglio di guglie e archi rampanti. Radunati davanti allo snack bar Quasimodo, i turisti obbedienti al capocomitiva trasmigrano spensierati dal sacro al profano, affrettandosi a salire sull'ultimo pullman Paris-by-night, che li porterà nei quartieri del divertimento osé. Alle 23 si spengono le luci di Notre-Dame e si accendono quelle di Pigalle. A quest'ora i canonici sono già a letto, hanno recitato il breviario contro le tentazioni dei grifoni, dei vampiri, delle chimere e sognano beati la medaglia di Napoleone, e fors'anche, sebbene socialista, un *Domine fac salvum praesidentem Mitterrand*. Domattina alle sei si alzeranno, per cantare il mattutino. Buona notte, Notre-Dame.

◊

# Il bronzo di Cleopatra
# per San Giovanni in Laterano

◊

La cattedrale di Roma, la chiesa dove il vescovo di Roma ha la sua cattedra, non è san Pietro ma san Giovanni in Laterano, «madre e capo di tutte le chiese dell'urbe e dell'orbe» si legge sulla facciata incoronata da quindici bianche statue, alte sette metri. La cattedrale di Roma è di conseguenza la cattedrale del mondo, in essa e negli adiacenti palazzi lateranensi ebbero sede per un millennio il papa e la sua corte, finché al Laterano non fu preferito, per motivi che vedremo in seguito, il Vaticano, con la basilica dell'apostolo Pietro.

Oggi attorno al Laterano alita la malinconia delle regge abbandonate, qualcosa della perduta regalità rivive settimanalmente nel battistero, quando da tutta Roma i genitori portano i neonati al fonte che battezzò Carlo Magno. Alla fine del medioevo, i possedimenti di san Giovanni si estendevano dai Castelli al mare, comprendendo Marino, Albano, Castelfusano, Castelporziano. Nello Stato pontificio i canonici del Laterano avevano una decina di chiese in ogni diocesi, addirittura trenta in quella di Spoleto. Ora la «madre e capo di tutte le chiese dell'urbe e dell'orbe» è una chiesa povera come tante altre, come una parrocchia di campagna.

Un vento allegro accumula, nel cielo azzurro stoviglia, nubi candide come panna montata. Sole e silenzio. Sull'orlo del sagrato, a rispettosa distanza, i vetturini dormono su se stessi, ad angolo retto, aspettando i turisti che indugiano nell'atrio, presso la statua di Costantino, il benefattore che avrebbe regalato l'area per la prima chiesa della cristianità (ma la Donazione costantiniana fu smantellata da Lorenzo

Valla, umanista del XV secolo). Più esattamente, una vecchia caserma di cavalleria scelta fuori mano, a ridosso delle mura aureliane, per non urtare la sensibilità dei moltissimi romani non ancora convertiti. Costantino avrebbe regalato una proprietà personale, perché l'esproprio sarebbe stato una provocazione verso il ceto conservatore pagano, le classi colte, l'aristocrazia, che non sapevano spiegarsi il perché di quelle improvvise tenerezze imperiali verso una setta considerata per tre secoli, da Nerone, da Domiziano, da Diocleziano, esiziale allo Stato: una setta da estirpare senza pietà, perché predicava la povertà, la comunione dei beni, l'eguaglianza dello schiavo al padrone e contestava gli ordinamenti dell'impero, il servizio militare, la legge della vendetta, lo spirito di aggressione e di conquista, da cui era nata la grandezza di Roma. Pare che i cristiani non superassero i sette milioni, su una popolazione di cinquanta, ma essi possedevano una fede convinta, che aveva il fascino e lo slancio della novità, la maggioranza ondeggiava tra l'agnosticismo e una miriade di culti, indigeni e orientali, che ne indebolivano la compattezza spirituale. Falsa donazione a parte, una cosa è certa: Costantino, visto il fallimento delle persecuzioni, utilizzò la nuova religione ai suoi fini politici, accordandole diritto di cittadinanza. Egli era rimasto impressionato, osserva Willy Durant, dalla maggiore moralità dei cristiani rispetto ai pagani, dalla incruenta bellezza della loro liturgia, dalla docilità del clero, dalla rassegnazione dei fedeli che accettavano tutti i dolori e tutte le ingiustizie della vita, sorretti dalla speranza d'un premio nell'aldilà. Sarebbe stato molto facile, una volta cristianizzato lo Stato, governare dei sudditi che consideravano la felicità una cosa non appartenente a questo mondo. Perciò favorì il cristianesimo, ma l'uomo non sembra da mettere sugli altari, che per lui erano gradini del trono. Trattava i vescovi come subalterni. Nello stesso anno in cui convocò il concilio di Nicea, per definire il *Credo* e il dogma della Trinità, fece uccidere il figlio Crispo, poi la moglie Fausta, meritandosi l'appellativo di «Nerone del Bosforo». Soltanto in punto di morte questo convertito machiavellico accettò di farsi battezzare, dal vescovo Eusebio di Nicomedia.

L'editto che concesse ai cristiani libertà di culto fu promulgato a Milano, in occasione d'un matrimonio. Assieme al collega Licinio, «augusto» d'Oriente andato nella città lombarda per sposare la sua sorellastra Costanza, Costantino decretò che «d'ora in avanti liberamente e completamente a ciascuno di coloro che mostrano desiderio di seguire la religione dei cristiani venga consentito di osservare tale culto, senza alcun impedimento o molestia... Ed inoltre abbiamo stabilito, per quanto riguarda i cristiani, che quei locali nei quali essi un tempo erano soliti radunarsi, se appaia siano stati acquistati nei tempi passati dal nostro erario, o da chicchessia, vengano restituiti ai cristiani senza richiedere denaro o ricompensa, e ciò senza ricorrere a inganni o equivoci».

Siamo nell'anno 313: è la fine della clandestinità, il «venticinque aprile» del Vangelo. Anno 341: l'imperatore Costanzo II dichiara che «la superstizione ha da cessare e la stoltezza dei sacrifici agli dèi è da punire». Anno 346: minacciata la pena di morte a chi farà sacrifici. Anno 382: l'imperatore Graziano, sotto l'influenza di sant'Ambrogio, rinuncia solennemente al titolo pagano di Pontifex Maximus, che i predecessori, pure cristiani, avevano mantenuto; espelle dall'atrio del senato la statua della Vittoria, sfidando le proteste di senatori pagani e destina i templi pagani ad altro uso. Anno 392: nell'editto di Tessalonica l'imperatore Teodosio decreta: «Noi vogliamo che tutti i popoli retti dalla nostra clemenza partecipino a quella religione che dal divino apostolo Pietro fu trasmessa ai romani... giudicando gli altri dementi e pazzi, vogliamo che sostengano l'infamia che segue chi professa dogma eretico e che i loro conciliaboli non prendano il nome di chiese. Prima essi si attendano la vendetta di Dio, poi anche le severe punizioni che l'autorità nostra, illuminata dalla sapienza divina, riterrà di dover infliggere loro». Anno 403: san Girolamo, ascetico abitatore dei deserti siriani, esulta: «Tutti i templi di Roma sono anneriti dalla fuliggine e il ragno tesse la tela sotto le loro volte: quelli che un tempo erano dèi delle nazioni, rimangono ora con i gufi e con le civette sulle cornici deserte degli edifici».

Il gran Pan è morto. In meno d'un secolo le posizioni si sono capovolte, gli ex perseguitati salgono al potere; adesso sono i pagani che tengono nascosta la loro fede, per non rischiare l'epurazione o peggio. I vecchi templi vengono adibiti al nuovo culto, la Roma cristiana esorcizza i monumenti della Roma pagana e coi materiali della Babilonia infernale costruisce la nuova Gerusalemme celeste. In Laterano arrivano quattro colonne corinzie, di bronzo, che Augusto aveva fuso con i rostri delle navi di Cleopatra dopo la vittoria di Azio e collocato nel tempio di Giove Capitolino: ora formano l'altare del Sacramento, nel braccio sinistro della crociera. Dalle vicine terme di Caracalla, luogo d'ogni licenza e corruzione, vengono asportate due porte d'argento e di bronzo e destinate, per mistico contrappasso, al fonte che lava i peccati. Dalla curia Ostilia, dove si riuniva il senato, si toglie la grande porta di bronzo e dopo alcune peregrinazioni finisce anch'essa a san Giovanni, nel portico principale. Delle cinque porte che immettono nel tempio, è quella centrale. Ma qualcosa dell'antica superstizione vi rimane attaccato. Vedo una signora, in abito premaman, che indugia davanti al battente, color verde salvia, e tocca con intenzione una delle ghiande ornamentali. Sono moltissime, tutte verde salvia, tranne quelle all'altezza d'un metro, luccicanti come fossero d'oro, a forza d'esser toccate e carezzate. Da tempo immemorabile, prima d'entrare in chiesa, le donne desiderose d'aver un maschio auguralmente posano la mano su queste prominenze metalliche, dall'aspetto vagamente anatomico.

Non è certa la data di nascita della basilica. Si sa che nello stesso anno dell'editto di Milano papa Melchiade e alcuni vescovi, per fronteggiare lo scisma donatista, *in domum Faustae in Laterano convenerunt*, si riunirono nella casa di Fausta, in Laterano. Fausta era l'imperatrice, seconda moglie di Costantino, i Laterani la famiglia che anticamente aveva proprietà nella zona. Il papa fissò la sua dimora nel Patriarchium, il palazzo sorto accanto alla chiesa, costruita secondo il tipo basilicale, a imitazione delle basiliche profane, luoghi pubblici di riunione nella Roma imperiale. In origine fu dedicata al Salvatore e la leggenda vuole che Costantino presenziasse alla cerimonia, diremmo oggi, della prima pietra, portando dodici cofani di calce, il numero degli apostoli, e poi dotasse il tempio di arredi e poderi.

Col passare degli anni, il Laterano divenne il centro, non soltanto religioso, di Roma. Emigrato il potere politico verso altre città (Milano, Ravenna, Bisanzio), crebbe quello del vescovo di Roma che univa, a questo, i titoli di metropolita d'Italia, patriarca d'Occidente e primate di tutta la chiesa. Il trasferimento della capitale dal Tevere al Bosforo parve sancire l'inferiorità dell'imperatore verso il papa, come se il capo d'uno Stato non potesse risiedere là dove abitava il vicario di Cristo:

> *Sotto buona intenzion che fe' mal frutto*
> *per cedere al Pastor si fece greco*

brontolerà Dante, per l'abdicazione del potere civile (*Paradiso*, canto XX).

Il papa giudicava i preti e le controversie fra preti e laici. Se le parti acconsentivano, aveva giurisdizione anche in materia civile. Amministrava la giustizia senza tuttavia avere diritto di morte. Distribuiva minestre e sussidi ai bisognosi. Per secoli il Laterano fu chiesa, tribunale, municipio, questura, ente comunale di assistenza; e il silenzio che oggi lo circonda possiamo animarlo con minimo sforzo di fantasia, solo che immaginiamo il polveroso viavai di pellegrini, i fedeli inginocchiati presso la tomba di Silvestro II (considerato un mago perché, siamo intorno al Mille, sapeva di scienze e di matematica), la cui epigrafe si chiama «pietra sudante» (navata intermedia destra, secondo pilastro) e s'inumidiva ogni volta che moriva un papa. Immaginiamo le abitazioni dei prelati indaffaratissimi, i postulanti col rotolo della supplica sottobraccio, i mendicanti accovacciati sui gradini, e sul sagrato torme di penitenti non ammessi in chiesa, se prima non purgavano il peccato.

Come era distribuito il pubblico in chiesa?

Nelle *Costituzioni apostoliche* del IV secolo si legge: «Ai lati del vescovo siedano i preti, e vicini stiano i diaconi. Questi faranno sedere i laici nelle navate, in ordine e tranquillità, le donne da parte, senza parlare. Il lettore si collochi nel mezzo e legga i libri del Vecchio Testamento, da una posizione elevata. Un altro canterà salmi di Davide e il popolo riprenderà la fine dei versetti. Quando il diacono legge il Vangelo, tutti si alzino in piedi, silenziosi. Gli ostiari custodiranno la porta d'ingresso degli uomini, le diaconesse quella delle donne. Se c'è posto, i giovani sederanno in disparte, altrimenti resteranno in piedi. Seduti i vecchi. I genitori tengano i bambini in piedi. Le giovani stiano a parte se c'è posto, altrimenti dietro le donne. Le spose che hanno figli stiano a parte. Le vergini, le vedove e le vecchie staranno in piedi o sedute davanti a tutte. Che nessuno si fermi sulla porta, tutti devono prendere il loro posto. Dopo l'orazione i diaconi badino all'oblazione eucaristica. Uomini e donne si saluteranno fra loro, baciandosi nel Signore. Il vescovo darà la pace al popolo e lo benedirà. Poi si faccia il sacrificio, mentre tutti i fedeli resteranno in piedi e ogni categoria si accosterà in ordine a ricevere il Corpo e il Sangue del Signore».

Non potevano entrare i cocchieri del circo (scomunicati), le cristiane sposate a pagani, i falsi accusatori, i divorziati. Una nobildonna scalza, vestita di stracci, la cenere sul capo, pianse nell'atrio il peccato di bigamia con così struggente contrizione, che persino il papa si commosse. La chiesa dei primi secoli era inflessibile nell'esigere queste penitenze pubbliche e pubblicitarie. Era vietato l'ingresso anche ai soldati che avevano disertato. Dopo la pace costantiniana, dopo il trionfo teodosiano, la milizia non è più empia, i cristiani non sono più obiettori di coscienza. Quando il principe è cristiano, è dovere di tutti obbedirgli. La chiesa si appoggia allo Stato fino a schiacciarlo sotto il suo peso. Alla fine, si sostituirà a esso.

Le feste cristiane diventano feste ufficiali dello Stato. Il titolo di pontefice massimo, suprema dignità religiosa spettante all'imperatore pagano, passa al vescovo di Roma. Degradata Venere a diavolessa, il Laterano è il nuovo Campidoglio, trapianto indolore, perché accompagnato da un sagace adeguamento alle vecchie strutture dell'impero di cui la chiesa adotta la lingua, il diritto, il centralismo gerarchico, la divisione amministrativa, perfino la nomenclatura. Per esempio: diocesi indicava, nell'impero romano, una circoscrizione territoriale.

Della primitiva basilica non è rimasto quasi nulla, nei secoli essa patì incendi, terremoti, devastazioni: i goti di Alarico le rubarono, tra l'altro, un baldacchino d'argento che pesava duemilacinquantacinque libbre, circa sette quintali. Quella che vediamo adesso ha la facciata del Settecento e l'interno secentesco. Sulla vecchia basilica paleocristiana a tre navate è stata rifatta una chiesa barocca a cinque, arricchita di sontuose cappelle, marmi preziosi, statue colossali. La sua prima edizione aveva un atrio quadriportico, con gli zampilli d'acqua per la purificazione dei fedeli, nessuno poteva entrare con i calzari infangati.

La notte di Pasqua si amministrava il battesimo. Era la «grande notte del Laterano» cui accorreva tutto il popolo di Roma con i battezzandi da tutta Europa perché era sommo onore ricevere il battesimo dal vescovo di Roma in san Giovanni Laterano, risorgere alla grazia la stessa notte in cui risorgeva Cristo. Tra la sua passione e il rito battesimale corre un rapporto di mistica causalità. Dice san Paolo: «Non sapete che siamo stati battezzati nella morte di Cristo? Siamo stati sepolti con lui per mezzo del battesimo nella morte affinché, come Cristo risuscitò da morte, così anche noi camminiamo in una vita nuova». Nella liturgia lustrale, l'immersione simboleggia la morte del vecchio Adamo, cioè del peccato originale, cui segue il riemergere alla vita, cioè la seconda nascita, dell'Adamo purificato grazie ai meriti di Cristo crocifisso e risorto. L'immersione era triplice, in memoria dei tre giorni che vanno dal venerdì santo alla Pasqua.

Goti, longobardi, sassoni, franchi, smessi i loro fantasiosi abbigliamenti, indossavano la bianca veste battesimale e prostrati attendevano l'inizio della cerimonia, fissata per il sabato sera. Ecco il programma. Tramontato il sole, un diacono canta il *praeconium paschale*, lode al Cristo redentore, mentre il papa e il clero entrano nella basilica, illuminata da migliaia di candele. I mosaici sfavillano, i sacri arredi mandano preziosi balenii. Siccome la chiesa non ha banchi, la folla si stende sui tappeti portati da casa e ascolta la lettura delle profezie dell'Antico Testamento. Dalla basilica, cantando le litanie, si passa nel battistero; da sette cervi d'argento l'acqua lustrale zampilla nella vasca rotonda, in cui si rispecchiano otto colonne di granito.

*Dominus vobiscum* intona il papa.

*Et cum spiritu tuo* rispondono i battezzandi.

Il papa benedice l'acqua immergendovi due ceri accesi e versandovi, da un vaso d'oro, l'olio consacrato il giovedì santo. Ignudi oppure cinti da un perizoma, i battezzandi scendono nella vasca, assistiti da due diaconi scalzi che eseguono la triplice immersione, ridotta, in tempi posteriori, alla sola aspersione del capo. Padrini e madrine asciugano con un lenzuolo il nuovo figlio della chiesa, cingendogli la testa con un lino bianco, a mo' di diadema.

Poi la cresima, nell'oratorio della Croce. È già notte fonda. Sotto un cielo impolverato di stelle procede il lieto corteo, reggendo ceri. Neobattezzati e neocresimati raggiungono la basilica accolti dai salmi intonati dal coro, rimasto ad attendere negli stalli dell'abside. All'altare papale, dove soltanto lui può celebrare, il pontefice inizia la messa, la prima cui hanno facoltà di assistere i neofiti. Comunione generale. Anche i bambini appena battezzati ricevono l'ostia. Divieto tassativo alle madri di allattarli tra il battesimo e la comunione, affinché non rompano il digiuno. Verso l'alba, tutti a casa. Nel mattino di Pasqua, nessuna messa in Laterano. Nel pomeriggio, vespri per i neofiti, che indosseranno la bianca veste fino all'ottava di Pasqua, detta appunto domenica *in albis*.

Era tale il fascino di questa chilometrica cerimonia che vi accorreva gente di ogni paese, età, condizione sociale. I prìncipi, un tempo soggiogati dalle armi, adesso venivano soggiogati dalla fede. E i barbari calati dalle buie contrade del Nord

*veggendo Roma e l'ardua sua opra*
*stupefaciénsi, quando Laterano*
*a le cose mortali andò di sopra*

dice Dante nel canto trentunesimo del *Paradiso*. Nel 680 il re sassone Kadwalla morì poco dopo l'immersione nella vasca, ancora avvolto nella candida veste. Emozione o polmonite?

La «presa di possesso» di san Giovanni, di cui era titolare il papa, costituiva un'altra cerimonia fastosa, fatta apposta per impressionare le folle. Fin dall'XI secolo il pontefice era consacrato in san Pietro dai vescovi di Albano e di Ostia, che gl'imponevano una tiara donata, pare, da Costantino: di penne di pavone, prima, poi di gemme. Di qui, attraverso la via Papalis, si snodava il corteo aperto da un cavallo bardato, non montato, seguivano i crociferi a cavallo, due cavalieri con immagini di cherubini issate sulle lance, gli avvocati, i giudici, i diaconi, i vescovi, gli arcivescovi, gli abati, i patriarchi, i cardinali, infine il papa su un cavallo bianco ingualdrappato di raso rosso, su cui scintillava il manto d'oro dell'augusto cavaliere. Se nel corteo c'era un re, gli conduceva il cavallo per le redini.

Seguivano le corporazioni di mestiere, le milizie cittadine chiuse in lampeggianti corazze. Lungo il percorso si bruciava incenso, s'intonavano inni. Ai crocicchi i servi del papa gettavano monete. Arrivato in Laterano, il pontefice veniva fatto sedere su un sedile di marmo, detto «sella stercoraria» mentre i cardinali leggevano ad alta voce la Sacra Scrittura: «Egli suscita dalla polvere il mendico e solleva il povero dallo sterco». Compiuto questo atto d'umiltà, il papa si alzava lanciando al popolo una manciata di scudi e le parole: «Oro e argento non sono per me; quello che ho, a te dono», il priore della basilica gli porgeva le chiavi, tutti gli baciavano il piede, il senato giurava fedeltà. Un grande banchetto chiudeva la cerimonia della «presa di possesso». Re e imperatori, se presenti, servivano il cibo al vicario di Cristo, poi andavano a sedersi, buoni buoni, tra i cardinali. L'ultimo papa che si sedette sulla «stercoraria» fu il raffinato umanista Leone X.

Cose notevoli, oltre a quelle già segnalate: l'ultima porta a destra, detta Porta Santa, perché viene aperta solo all'inizio dell'Anno Santo. L'interno, a croce latina, centotrenta metri di lunghezza, è opera di Francesco Borromini che rifece, in stile barocco, la primitiva chiesa costantiniana. Nell'ultima navata destra, tre cappelle appartenenti a famiglie principesche, gli Orsini, i Torlonia, i Massimo. Nella prima cappella dell'ultima navata sinistra, tomba di Clemente XII, papa Corsini, che per primo condannò la massoneria (1738). Le quattro colonne di porfido e l'urna provengono dal Pantheon. Nel mezzo della crociera, l'altare papale e dietro una grata, in una custodia d'argento, le teste dei santi Pietro e Paolo. A destra di questo altare, tomba di Innocenzo III che agli inizi del Duecento realizzò l'ideale teocratico, la sua parola era legge per i sovrani d'Europa. Nell'abside, grandioso mosaico denso di simbolismi, dominato dalla figura del Salvatore. Il monte rappresenta il paradiso, sulle sue pendici pascola il gregge dei fedeli (pecore e cervi) che si abbeverano in quattro fiumi, cioè i quattro vangeli.

Dalla cappella del Sacramento si passa nel chiostro (XIII secolo), a colonne binate; a sinistra di chi entra, la statua di sant'Elena, la sedia papale, entrambe del V secolo, i resti della «casa di Pilato» e le colonne d'un altare chiamate «misura di Cristo», perché si dice che la loro altezza corrispondesse alla statura del Salvatore. Da notare, in piazza san Giovanni, il più alto e antico obelisco di Roma. Di granito rosso, fu innalzato a Tebe millecinquecento anni prima di Cristo, davanti al tempio di Ammone. Costantino voleva portarlo a Roma, ma la mole era troppo ingombrante. Vi riuscì suo figlio, Costanzo II, facendo costruire una nave apposita con trecento remi. Di fronte al palazzo del Laterano: la Scala santa, ventotto gradini di marmo rivestiti di legno. Per secoli fu falsamente attribuita al pretorio di Pilato e si credette che fosse stata salita da Gesù, durante la passione.

Dal Laterano uscirono decreti decisivi per la vita della chiesa romana. Nel 1059, contro l'ingerenza dei laici nelle nomine ecclesiastiche, Niccolò II deliberò che l'elezione del pontefice fosse riservata ai cardinali vescovi, titolari delle diocesi suburbicarie, quelle cioè vicine a Roma, e ai cardinali preti, titolari delle maggiori parrocchie romane. Estromesso l'imperatore dagli affari religiosi, cominciava tra impero e papato la titanica lotta per le investiture. In quell'occasione fu reso obbligatorio il celibato per i preti. Qui si sono svolti concili di grande importanza. 1123: approvazione del concordato di Worms che metteva fine alle lotte per le investiture. 1139: condannato l'eretico Arnaldo da Brescia. 1179: si proibisce a Pietro Valdo, mercante di Lione, promotore dell'eresia che da lui si chiamerà valdese, di predicare il Vangelo; vietata agli usurai la comunione e la sepoltura in luogo consacrato. 1215: davanti a milleduecento prelati, tra cui settanta arcivescovi e settecento vescovi, Innocenzo III dichiara decaduto dall'impero Ottone IV, bandisce una crociata per liberare Gerusalemme, viene definito il dogma della transustanziazione, resa obbligatoria la comunione pasquale, ribadito il primato del vescovo di Roma, condannati valdesi, catari e altri eretici, enunciati settantacinque canoni per la riforma della disciplina ecclesiastica: in un tempo record, appena tre giorni. 1512: revoca della Prammatica Sanzione, che concedeva alla chiesa di Francia diritti che ledevano quelli di Roma.

La decadenza di san Giovanni in Laterano cominciò nel 1300, quando Bonifacio VIII bandì il primo giubileo. La bolla d'indizione recava il *datum* del 16 febbraio 1300, dal Laterano, poi vi fu sostituita una data da san Pietro, per rivalutare questa chiesa, *datum apud sanctum Petrum*, nel giorno della festività della cattedra di Pietro, che cade il 22 febbraio. Cominciava così la «concorrenza» dell'altra basilica. I residenti a Roma dovevano, per trenta giorni, rinnovare le visitazioni, quelli del contado e i pellegrini per quindici, se desideravano lucrare le indulgenze, tutte aumentabili proporzionalmente alla frequenza e al fervore. Il tesoro delle indulgenze era precluso solo ai ribelli, «tra i quali i primi erano Federigo coi siciliani e i colonnesi, affinché andassero privi della clemenza di lui, di cui la maestà spregiavano» annota uno zelante biografo di Bonifacio.

Da tutta Europa affluirono pellegrini; la clausola della permanenza minima di quindici giorni per i forestieri si rivelò una grande trovata turistica, che convogliò ruscelli d'oro nelle casse degli osti, tavernieri, bottegai e maniscalchi. Per la prima volta nella storia del traffico romano fu sperimentata la circolazione a due sensi, per i pedoni, sul ponte di Castel Sant'Angelo, piloro della città su cui transitavano il mercante di Fiandra, il guerriero bavarese, la contadina di Maremma, centinaia di migliaia di fedeli che non volevano lasciarsi sfuggire l'occasione di assicurarsi il paradiso a poco prezzo. La più frequentata era la basilica di san Pietro, dove due chierici rastrellavano monete dall'alba al tramonto: in tutto, cinquantunmila fiorini d'oro, dei quali trentamila sulla tomba di Pietro, il resto su quella di Paolo. I cronisti non parlano delle offerte raccolte in Laterano. Il loro silenzio ci induce a sospettare che non fossero rilevanti.

Il colpo di grazia alla prima cattedrale del mondo lo diede il trasferimento della sede papale ad Avignone. Quando il Petrarca entrò a Roma, nel 1337, al posto della sognata urbe imperiale vide strade e rovine coperte d'erba, undici chiese distrutte, quella del Laterano priva di tetto, la città straziata dalle violenze dei Colonna e degli Orsini, furibondi rivali, e il popolo avvilito nella miseria, aggravata dall'assenza della corte pontificia e del relativo, pingue giro d'affari. Non venivano più i pellegrini a vedere il papa, il turismo languiva. «Il Laterano è crollato e la madre di tutte le chiese, priva di tetto, è aperta ai venti e alle piogge» scrisse il cantore di Laura.

Cola di Rienzo s'illuse di ricondurre Roma agli antichi splendori. La sera del 1° agosto 1347 annunciò al popolo che quella stessa notte sarebbe stato armato cavaliere, quindi entrò nella basilica di san Giovanni, s'immerse nella vasca che molti secoli prima aveva guarito dalla lebbra l'imperatore Costantino, e trascorse lunghe ore su un giaciglio di fortuna, pregando. Il mattino seguente s'affacciò alla loggia, vestito da cavaliere, disse al popolo che lui era il «candidato dello Spirito Santo», proclamò Roma capitale del mondo, rivendicò ai concittadini il diritto di eleggere l'imperatore, citò Clemente VI e i principi elettori a comparire davanti a lui, supremo giudice. L'allucinato errore di Cola fu di credere che bastassero le infocate parole e la stravagante messinscena a far nascere nel popolo il sentimento di nazione e la nostalgia della passata grandezza.

Finì come tutti sanno: durante una sommossa, causata

dalla carestia, tentò la fuga, tagliandosi la barba e travestendosi da giardiniere, ma fu riconosciuto per gli anelli che aveva alle dita, linciato e impiccato per i piedi.

La città ripiombò nelle contese tra le opposte fazioni e quando, nel 1377, Gregorio XI, incitato da Caterina da Siena, riportò la sede da Avignone a Roma, non andò ad abitare in Laterano. Per sottrarsi alle feroci lotte tra Orsini e Colonna, scelse, pur confermando il primato di san Giovanni, una dimora più tranquilla, il Vaticano, con amaro disappunto dei canonici che vedevano diminuire prestigio e prebende. Verso la fine del XVI secolo, essi si rivolsero alla Sacra Rota perché riconoscesse la supremazia del Laterano sul Vaticano, ingaggiando, bolle alla mano, un'elegante battaglia che si protrasse a lungo, sul piano giuridico. Ma su quello storico e politico era già perduta da un pezzo.

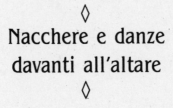

◊

# Nacchere e danze
# davanti all'altare

◊

La Spagna è l'esagerazione dell'Europa, è stato scritto. Potremmo aggiungere che l'Andalusia è l'esagerazione della Spagna, e Siviglia l'esagerazione dell'Andalusia. Sivigliano era don Giovanni Tenorio, un «esagerato» del libertinaggio («in Italia seicento e quaranta - in Lamagna duecentotrentuna - cento in Francia, in Turchia novantuna - ma in Ispagna son già mille e tre» canta il servo Leporello). Nel Carcere reale, dove oggi sorge il Banco Hispano Americano, in calle de las Sierpes, l'elegante via dei negozi, Cervantes concepì il don Chischiotte, un «esagerato» dell'idealismo. Sivigliana era Carmen, operaia nella Reale fabbrica dei tabacchi, una «esagerata» dell'incostanza femminile. Toni grigi e pedestre buon senso non si addicono a questa città che si vanta fondata dal semidio Ercole, in viaggio verso le omonime colonne, e alterna al penitenziale misticismo della Settimana Santa, al lugubre sfilare degli incappucciati, le paganeggianti follie della Feria d'aprile, subito dopo Pasqua, quando in piazza san Sebastiano pullula un posticcio villaggio di casette di tela, tremolanti nella gran baraonda di canti, flamenco e olé.

Esagerati i genitori che portano alla Feria la bimba di sei mesi, vestita da gitana e il biberon in bocca. Esagerato il cardinale Pablo Segovia, che confidò a un giornalista dispiacergli assai morire senza aver visto una corrida, a lui vietata dalla Chiesa, e alla proposta di organizzargliene una in privato, fanciullescamente rispose di sì, poi pensò allo scandalo e rinunciò. Esagerato il parroco della chiesa della Macarena, quando i tifosi portarono in trionfo il vittorioso torero Belmonte e irruppero nella chiesa, per inalzarlo sulla portantina della Madonna miracolosa e fare una processione col torero al posto della Vergine. Il prete, scandalizzato, minacciò tuoni e fulmini, e mentre i tifosi se ne andavano mogi mogi, borbottava fra sé: «Belmonte sulla portantina della Macarena, è una cosa inaudita! Si fosse almeno trattato di Joselito».

Questa chiacchierata preliminare aiuta a farci comprendere la colossale, temeraria esagerazione dei canonici del capitolo, che l'8 luglio 1401 presero una decisione destinata a entrare nella storia. «Facciamo una chiesa così grande che coloro che la vedranno ci terranno *por locos*, per pazzi» esclamò, secondo la tradizione, uno dei reverendi monsignori. Siviglia una cattedrale l'aveva, sia pure di ripiego. Dal 1248, quando Ferdinando il Santo aveva strappato la città ai mori, il culto cristiano si svolgeva nella moschea, convertita d'ufficio al cristianesimo. Ma i terremoti l'avevano danneggiata, compresa la torre della Giralda, dalla cui cima erano precipitate le quattro palle d'oro visibili dai cavalieri, assicura un cronista arabo, «a una giornata di distanza e brillanti come le stelle dello Zodiaco». C'era poi nei canonici l'insofferenza di dir messa in casa d'altri, nella casa dell'infedele. Sebbene irrorata d'acqua santa, la chiesa restava architettonicamente una moschea, provocatorio simbolo d'una religione contro cui gli spagnoli avevano combattuto per secoli, con un furore largamente ricambiato, nella precisa convinzione che il morire uccisi dagl'infedeli aprisse automaticamente le porte del paradiso (la stessa cosa pensavano, dalla parte opposta, i musulmani).

Cacciati gli arabi, il clero di Siviglia, come quello di Toledo, di Granada, di Almería, non ebbe pietà per la moschea. Vade retro, Satana. A questo riguardo, furono più illuminati i laici. Narrano infatti le cronache che mentre si conducevano le trattative per la resa di Siviglia, gli arabi chiesero di abbattere, prima di lasciare la città assediata, l'amata Giralda, per non vederla cadere in mano cristiana. Volevano distruggerla loro, prima che lo facessero i nemici. A questo punto Alfonso X il Saggio, figlio di Ferdinando il Santo, irruppe nella tenda dove era in corso il negoziato, gridando: «Se alla Giralda mancherà un solo mattone, farò tagliare la testa a tutti i mori di Siviglia». La Giralda fu salva. La moschea sopravvisse un secolo e mezzo, fino a quando i canonici decisero di innalzare al suo posto una cattedrale dalla quale si aspettavano con ansia, abbiamo già detto, la fama di pazzi.

La loro speranza non è andata delusa. La loro «follia» ancora stupisce il visitatore sperduto e sgomento nella penombra d'una chiesa immensa, centosedici metri per settantasei (più un'altra ventina di metri in lunghezza per la sporgenza della Cappella Reale), cinque navate, cinquantaquattro cappelle, ottanta altari. È tanto grande che potrebbe contenere due-tre chiese normali. Edmondo De Amicis, che fu anche un eccellente inviato speciale, scrive che «per descrivere ammodo questo sterminato edificio bisognerebbe avere sotto mano una raccolta di tutti gli aggettivi più sperticati e di tutte le più strampalate similitudini che uscirono dalla penna degli iperboleggiatori di tutti i paesi, ogni volta che ebbero a dipingere qualcosa di prodigiosamente alto, di mostruosamente largo, di spaventosamente profondo, d'incredibilmente grandioso... Parlare della cattedrale di Siviglia stanca, come suonare un grosso strumento a fiato, o sostenere una conversazione da una sponda all'altra d'un torrente rumoroso».

La voce di questo «torrente» è la voce, oggi remota, d'un cristianesimo sontuoso e teatrale, quando si bruciavano ogni anno ventimila libbre di cera, ogni giorno si celebravano cinquecento messe, con un consumo di diciottomilasettecentocinquanta litri di vino da Capodanno al 31 dicembre. I canonici avevano torme di servitori come fossero principi del sangue, arrivavano alla cattedrale in sfarzose carrozze e, per un privilegio concesso da Roma, chierici servizievoli li sventolavano mediante ventagli di piume, fissate con perle. S'ignora il nome del primo progettista, i documenti contenuti in un archivio di Madrid sono andati distrutti in un incendio. Si sa che i lavori, iniziati nel 1403, furono ultimati nel 1506. L'11 marzo 1507, solenne consacrazione; quattro anni dopo, il 28 dicembre 1511, crollo della cupola. Avevano voluto farla troppo grande, troppo «esagerata» e le strutture non ressero. Ma i lavori di riparazione non si fecero attendere. Soldi ce n'erano.

Se il capitolo era ricco per ragioni storiche, Siviglia lo stava diventando per ragioni geografiche. Da una ventina d'anni Colombo aveva scoperto dall'altra parte dell'oceano un continente colmo d'ogni ben di Dio, e la Spagna era diventata l'affollato imbarcadero d'Europa; da Siviglia salpavano verso il nuovo e vergine mondo esploratori, colonizzatori, avventurieri, trafficanti d'oro e di schiavi, con la trepidazione con cui oggi gli astronauti partono da Cape Canaveral, e al ritorno correvano alla Torre dell'Oro e in cattedrale, per scaricare nella prima il bottino, nella seconda la coscienza.

Questa chiesa racconta la storia di Siviglia meglio d'un Baedeker. L'aspetto esterno, di fortezza massiccia, fa pensare a un cristianesimo da trincea, a una fede d'assalto. E agli orrori cui conduce, se degenera in fanatismo. Penso alla mattanza degli ebrei nel quartiere di santa Cruz (1391), migliaia di innocenti trucidati. Penso all'inquisitore generale don Fernando Valdés, terrore di Siviglia, che sospettò perfino dei canonici della cattedrale e tenne in galera per otto anni il *canónigo magistral* dottor Egidio, accusato di idee luterane.

Sul muro settentrionale, appartenente all'antica moschea, si apre la Puerta del Perdón, davanti alla quale passavano, massacrati di botte, i condannati, s'inginocchiavano un attimo, chiedendo in lacrime perdono delle loro malefatte e durante questa invocazione nessuno gli toccava un capello, più lunga era la preghiera più durava l'intoccabilità, poi gl'infelici riprendevano il cammino (e le botte) fino al carcere o al patibolo. La Puerta del Perdón immette nel gaio Cortile degli Aranci, equivalente mediterraneo dei severi chiostri eretti dai benedettini sotto i bigi cieli del Nord, e nel mezzo sorge una fontana visigotica, perché i visigoti avevano costruito una chiesa proprio nello stesso punto in cui gli arabi, successivamente, costruirono la moschea. Cristo o Maometto, pare che la fede abbia degli appuntamenti obbligati con la topografia, forse esistono dei luoghi deputati in cui spira più intensamente che in altri il soffio del divino.

Perché gli arabi arrivarono in Spagna? Per il loro espansionismo nazionalreligioso, dice la storia. Per un affare di donne, insinua la leggenda. Rodrigo, principe visigoto, avrebbe amato Florinda, figlia del conte Giuliano, governatore di Ceuta, togliendole l'onore. Per vendicare l'onta, Giuliano avrebbe chiamato in Spagna, dal vicino Marocco, il generale arabo Tariq, il quale con settemila uomini varcò il promontorio, che da lui si chiamò Giabal (monte) el Tariq, cioè Gibilterra, e sconfisse Rodrigo alla battaglia di Jeres (anno 711). Dice un canto popolare, tradotto dal Berchet:

> Fugge l'oste di Rodrigo,
> perso il cuor si disparpaglia,
> nel dì ottavo del conflitto
> vinta i Mori han la battaglia.
> Lascia il re le terre sue
> fuor del campo sen va via,
> sen va sol lo sventurato
> senza toglier compagnia...
> Fatta è sega la sua spada
> dai gran colpi che l'han pesta:
> ammaccato anche l'elmetto
> già compresso in su la testa.

In questa rapida sequenza Florinda perdette la virtù, Rodrigo il potere, gli spagnoli la libertà. Per riconquistarla, impiegarono quasi otto secoli.

La crociata contro gli arabi fu l'Iliade degli spagnoli, e il Cid Campeador il loro Achille. Chi, fatto voto di arruolarsi, non era poi in grado di partire, scioglieva il vincolo versando un'elemosina nell'apposita cassetta presso la Puerta de Oriente, vicino alla Giralda. Partendo per le sue imprese militari, Ferdinando il Santo teneva nell'arcione della sella una statuetta d'avorio, inseparabile *socia belli*, compagna di guerra, oggi conservata in una cripta assieme alla spada del pio conquistatore. Non basta. Nella Cappella Reale, fastoso sepolcreto di monarchi, c'è una preziosa scultura romanica del XIII secolo, donata da san Luigi di Francia al cugino san Ferdinando, e chiamata Nostra Signora dei Re, perché lo spagnolo considera la monarchia del cielo un prolungamento di quella di Castiglia e d'Aragona.

Anche questa statua fu arruolata in guerra, trasportata su un apposito carro, come una sorta di «carro armato spirituale» a sostegno delle milizie. Secondo una delle tante leggende fiorite nell'aiuola della fede annaffiata dalla fantasia popolare, Nostra Signora dei Re sarebbe il dono di tre angeli che, in veste di pellegrini tedeschi in viaggio verso il santuario di Compostella, chiesero ospitalità a Ferdinando, e in cambio della generosa accoglienza gli lasciarono questa scultura: perfettamente eguale — guarda caso — alla Madonna col bambino in braccio che il re aveva sognato di notte, nell'accampamento di Tablada, durante l'assedio di Siviglia.

A questa Madonna si attribuiscono miracoli e grazie. Nel 1904, per solennizzare la sua incoronazione (un diadema con dodicimila pietre preziose) il re graziò un condannato a morte (vedere in sagrestia, sotto vetro, il telegramma di Alfonso XIII all'arcivescovo Marcelo Spinola e la lettera del reo che, commosso, ringrazia). «Durante la guerra civile» racconta un devoto «questa Madonna ha salvato Siviglia. Stava arrivando un camion di repubblicani, gente poco tenera verso la religione, e una donna con un bambino in braccio fu vista andargli incontro, tutta coperta di polvere, le calze rotte. Il camion si arrestò e la misteriosa donna riuscì, con un pretesto, a tenerlo fermo, finché giunsero dalla parte opposta le truppe franchiste del generale Queipo de Llano, che presidiarono la città. Il giorno seguente, le suore raccomodando la statua della Vergine la videro coperta di polvere, con le calze rotte. Non è un miracolo? È la nostra patrona. Il 15 agosto la portiamo in processione e nel preciso istante in cui essa appare sulla Puerta de los Palos, vicino alla Cappella Reale, non attimo prima, né un attimo dopo, le si può chiedere qualunque cosa: lei la concede».

Il culto della Vergine aveva radici robuste e fronde fantasiose nel medioevo, tra cui la credenza che chi moriva il 15 agosto volasse diritto in cielo, approfittando del fatto che le porte erano momentaneamente aperte per ricevere l'Assunta. Ogni credente aveva la sua Madonna particolare, come accade ai giorni nostri nei paesi d'incerto confine tra devozione e superstizione. «È difficile spiegare a uno straniero» osserva lo scrittore Fernando Díaz-Plaja «perché la Macarena è più miracolosa della Vergine dei sette dolori». Ma se questo straniero viene dal Veneto o Meridione d'Italia, capisce al volo. È noto l'episodio di quel cavaliere che, mentre stava per ammazzare un rivale, lo sentì implorare: «In nome della Vergine del Carmine, non uccidermi». Rispose il cavaliere: «Sei stato fortunato, hai nominato proprio la *mia* Madonna. Se ne invocavi un'altra, eri finito».

Anche i naviganti hanno la loro: santa Maria de la Antigua, nome di un'isola delle Antille, e nome d'una cappella dove il vicentino Antonio Pigafetta, superstite della spedizione di Magellano, pregò per le anime dei compagni. Adesso pendono davanti all'immagine i vessilli della *Niña*, della *Pinta* e della *Santa Maria*, e una dozzina di bandiere di repubbliche latino-americane, mesto souvenir d'un impero conquistato ora con la croce ora con la spada. Tanto vasto che il sole non vi tramontava mai, ma quando tramontò non si levò mai più. A pochi passi dalle bandiere del continente perduto si erge, scenograficamente spagnolesco, il monumento funebre del primo europeo che vi pose piede, Cristoforo Colombo.

L'opera raffigura quattro araldi con gli stemmi di Castiglia, Navarra, León e Aragona, che reggono l'urna del navigatore. Il quale navigò anche da morto. Spentosi a Valladolid, fu sepolto prima in un convento francescano poi in un monastero certosino, alla porte di Siviglia. Molti anni dopo, la nuora Maria de Toledo ottenne da Carlo V il permesso di trasferire la salma nella cattedrale di Santo Domingo, in America. Quando nel 1795 arrivarono i francesi, le autorità spagnole, perché non cadesse nelle loro mani, la trasportarono all'Avana. Nel 1899, proclamata l'indipendenza di Cuba, le errabonde spoglie tornarono a Siviglia. Ma secondo taluni questi resti apparterrebbero al figlio Diego, pure lui sepolto a Santo Domingo e poi trasferito, per sbaglio, al posto del padre. Così oggi l'uomo che collegò due continenti ha una tomba in entrambi: in America, a

Santo Domingo, e in Europa, nella cattedrale di Siviglia, entrambe egualmente onorate, egualmente «autentiche». Nessun dubbio invece sul figlio Ferdinando, coltissimo collezionista di libri che a quattordici anni già viaggiava con lui. Sebbene fosse un bastardo fu sepolto fra i canonici e una lastra sul pavimento dice: «Che vale che io abbia bagnato coi miei sudori l'universo intero, che abbia percorso tre volte il nuovo mondo scoperto da mio padre... se tu, passando in silenzio su questa pietra, non rivolgi nemmeno un saluto a mio padre, e a me un lieve ricordo?».

Pessimismo ingiustificato. La tomba di Colombo è la prima cosa che il turista corre a vedere, poi in ordine di preferenza vengono le sculture gotiche, in legno dipinto, della pala nella Cappella Maggiore, un enorme quadrato di diciotto metri di lato; poi la bandiera che san Ferdinando salendo col cavallo piantò sulla Giralda, così chiamata perché sormontata da una statua che gira col vento; e la porta riservata all'arcivescovo, che si apre due sole volte: per il suo ingresso solenne e il suo funerale. Infine il sant'Isidoro, dipinto dal Murillo, la cui testa figura sui biglietti da mille pesetas. Un santo contro l'inflazione?

Ragazze in cerca di marito domandano dove si trovi l'altare del miracoloso sant'Antonio.

«Vengono donne di tutte le età, dai diciotto ai sessanta» dice un custode, oriundo cubano, rotondo e arguto.

«Belle?»

«Più brutte che belle. Vede questi candelieri? Sono sempre accesi, venti pesetas per candela.»

«Celibi ne arrivano?»

«Abbastanza. Hanno pancia e capelli brizzolati. Tra uomini e donne, circa duecento la settimana. Naturalmente, quando il santo fa la grazia, sono invitato alle nozze.»

Il custode indica uno specchio brunito, su una parete vicina alla Puerta de los Palos.

«Eczemi, nevralgie, mal di denti?» declama con voce da imbonitore, «basta appoggiare la guancia allo specchio e il male se ne va.»

Poi mi conduce a vedere la statua del Bambino Muto, che concede qualsiasi favore purché il fedele per nove giorni non apra bocca. «Ma perché non fai una bella novena al Bambino Muto?» urlano i mariti alle mogli chiacchierone. In una città che, per settecentocinquantamila abitanti, ha centocinquantasei chiese, settantotto conventi di frati e duecentocinquantuno di suore, ogni confraternita ha il suo santo protettore, ogni giorno della settimana un particolare sportello aperto in cielo. Il lunedì s'invoca san Pancrazio o san Nicola, il martedì santa Marta, il mercoledì san Gaetano, santa Rita e sant'Onofrio, il giovedì san Martino, il venerdì Cristo.

«Io ho un santo speciale» si vanta il custode con aria furbissima, estraendo dal portafogli una medaglietta, «san Giuda Taddeo apostolo, da non confondere con Giuda Iscariota. A causa del nome, nessuno si rivolge a lui, pensano che si tratti del traditore, quanta ignoranza c'è in giro! Perciò è un santo che ha poco lavoro, e quando un cristiano si ricorda di lui, si fa in quattro per esaudirlo. Si accontenta di tre *Pater Ave Gloria*.»

Accende una sigaretta. «Non si scandalizzi, *señor*, ho il permesso dei canonici. Come si potrebbe stare qui dentro tutto il giorno, senza fumare?» Il fumo si arrampica verso le ogive gotiche, disegnando riccioli rococò. Nicotina o incenso? Mi accorgo che non soltanto fuma, ma parla ad alta voce, anche gli altri guardiani parlano come se fossero all'aperto. In nessun posto come in Spagna la casa di Dio è anche casa degli uomini, la gente si saluta come al caffè; nei secoli passati i mercanti, se fuori pioveva, entravano in chiesa a concludere gli affari. A Chartres, mistica e gotica, il credente può solo pregare, e l'ateo meditare. Nel duomo di Siviglia, plurisecolare stratificazione di stili dal gotico al barocco, dall'arabo al plateresco, nel tripudio di ori, avori, argenti, sete, stucchi, marmi, ferri battuti, trine e arredi fatti per parlare ai sensi prima ancora che allo spirito, si può anche pensare al flamenco. Difatti qui si danza.

Credo che sia l'unica chiesa al mondo che vanta tale privilegio. Dieci ragazzini, sui dieci anni, figli di operai, ballano vestiti da paggi suonando le nacchere nella Cappella Maggiore, nei giorni dal Corpus Domini e dell'Immacolata. Si chiamano *Los Seises*, perché anticamente erano sei.

L'usanza risale al XIII secolo, quando Urbano IV, il papa creato dal conclave di Viterbo (il più lungo della storia: circa tre mesi) istituì la festa del Corpus Domini, invitando i fedeli a celebrare con canti e altre dimostrazioni di allegria la festa del Signore; «canti la Fede, danzi la Speranza, salti di gioia la Carità» diceva la bolla pontificia. I sivigliani presero il discorso alla lettera e si misero a ballare davanti all'Eucaristia. Nacquero così gli *autos sacramentales*, primo nucleo delle rappresentazioni drammatiche, e nacque più tardi una lite con Roma, preoccupata per la piega profana presa da queste danze. A un certo momento, narra la tradizione, il papa ordinò che i balli dei *Seises* continuassero fino alla consunzione dei costumi di scena, poi basta. Ma gli astuti canonici elusero il divieto, rinnovando gli abiti dei *Seises* un pezzo alla volta, prima una manica, poi l'altra, sicché non si consumavano mai.

Nella polemica con Roma i sivigliani misero quel puntiglio sottilmente anticlericale che ogni tanto esplode nella cattolicissima Spagna («un popolo che corre dietro al clero, metà col cero metà col bastone») e che traspare perfino nell'ambiguo nomignolo dato alla piazzetta, tra l'arcivescovado e il duomo, battuta dal vento invernale e attraversata di corsa dai canonici infreddoliti. La chiamano *mata canónigos*, ammazza canonici, con un misto di tenerezza e crudeltà. Anche i devoti, se si offre l'occasione, ostentano indipendenza verso la gerarchia, vedi i conservatori fine secolo che giudicarono troppo di sinistra l'enciclica *Rerum novarum* e pregarono per la conversione di Leone XIII, papa «comunista». Il fiero individualismo dello spagnolo lo spinge a fabbricarsi, se gli fosse consentito, una religione tutta per sé, ognuno ha il suo santo personale, la sua Madonna di fiducia. Ognuno vorrebbe perfino avere il suo papa, cui impartire ordini. È un'altra esagerazione degli spagnoli, ciascuno dei quali, ha scritto Salvador de Madariaga, è un dittatore in potenza, perciò accetta la dittatura.

Anche Domineddio vorrebbe tutto per sé, senza concorrenti terreni, in un rapporto di geloso possesso. Fernando Díaz-Plaja racconta l'aneddoto di quel distinto signore che pregò davanti a un'immagine del Cristo, chiedendo la grazia di un fido bancario. Gli occorrevano cinque milioni di pesetas, ne aveva assoluto bisogno per salvare l'azienda. E pregava a voce alta, mentre accanto a lui un tizio malvestito, pure a voce alta, chiedeva la grazia di cinquecento pesetas, per pagare l'affitto di casa.

«Signore», diceva il primo, «a te non costa nulla, fammi avere quei cinque milioni».

«Signore», incalzava il secondo, «mi occorrono cinquecento pesetas, altrimenti mi sfrattano».

«Se non trovo questo denaro, per me sarà la bancarotta».

«Se non trovo questo denaro, stanotte dormirò in strada».

«Signore, cinque milioni».

«Signore, cinquecento pesetas».

A questo punto il distinto signore estrae il portafogli, toglie un biglietto da cinquecento e lo consegna all'altro, dicendo: «Tenga, per favore, non me lo distragga».

Non ho mai visto tanti cancelli, tante griglie come nella cattedrale di Siviglia, quasi tutte le cappelle ne hanno una. Per evitare i furti, spiega il guardiano. Direi piuttosto, per ricordare al titanico orgoglio degli spagnoli l'idea del limite, del confine non valicabile. Ogni cancello è un'imposizione, un divieto. Quanti cancelli, nella storia di questo popolo, quanto sangue versato per erigerli o per abbatterli. Così l'anima prometeica e picaresca di questa gente è diventata un'anima prigioniera, assetata di assoluto che, aggrappata a quelle griglie, intravvede la divinità, come Leopardi dietro la siepe sognava l'infinito.

◊

# Salvato dal porcellino
# il leone di san Marco

◊

Al principio delle fortune veneziane troviamo, invece del glorioso leone, un animale molto meno nobile, il porco. Nell'interno della basilica di san Marco (braccio est, navata destra), un mosaico che racconta il trafugamento della salma dell'evangelista mostra un uomo, probabilmente un doganiere, che ispeziona il bagaglio di due veneziani, in partenza dal porto di Alessandria d'Egitto. Siamo nell'828, l'Egitto è colonia araba. Il doganiere, data un'occhiata al bagaglio, se ne ritrae con disgusto, pronunciando, come in un fumetto, la parola *kanzir*, maiale. Il che voleva dire che mai egli avrebbe toccato l'animale immondo, carne maledetta dalla sua religione musulmana, come tutti sanno e come sapevano benissimo i due veneziani, Buono da Malamocco e Rustico da Torcello, che si erano serviti appunto d'un suino squartato per nascondere in fondo al cesto una preziosa refurtiva, il corpo di san Marco sottratto a un convento. Grazie all'orrore teologico del doganiere, i due esportarono la venerata salma dall'Egitto a Venezia dove, per ordine del doge Giustiniano Partecipazio, fu sistemata in una cappella, in attesa che fosse costruita una chiesa apposita. L'umile porcellino aveva salvato il leone di san Marco.

Con ogni probabilità Buono e Rustico il «colpo» non lo fecero di loro iniziativa: furono mandati dal doge. La neonata repubblica che aveva resistito alle pressioni dei longobardi e dei franchi, e si riconosceva sottomessa solo all'autorità di Bisanzio per la semplice ragione che Bisanzio, date le distanze, non era in grado di esercitarla, aveva urgente bisogno di qualcosa che cementasse l'unità politica. La religione, come spesso avviene nell'infanzia dei popoli, prestò quel cemento. Resta ancora un mistero come abbia fatto questa comunità di pescatori, di salinai, di barcaioli che campavano la vita traghettando i pellegrini sui fiumi sbarranti la via Romea, a dire di no all'eresia ariana portata dai longobardi fin sull'orlo delle lagune, dire di no all'eresia iconoclastica dei bizantini, alle pretese giurisdizionali del patriarca di Aquileia e ai ripetuti tentativi d'ingerenza pontificia.

San Marco fu la loro forza, un santo militante tutto per loro, che accolsero sfrattando il precedente protettore, Teodoro, un santo troppo greco, che poneva un'ipoteca bizantina sulla città. Se è vero che il doge ordinò il «colpo» di Alessandria per usarlo quale *instrumentum regni*, i suoi calcoli si rivelarono esatti, perché san Marco divenne nella coscienza dei veneti un simbolo patriottico-religioso che esaltò ideali nazionali e civili. Nella basilica i generali, reduci dalla guerra, deponevano, come i consoli romani in Campidoglio, la spada vittoriosa, e il doge neoeletto era presentato al popolo acclamante (*questo xe missier lo doxe se ve piase*), e dopo morto veniva portato davanti all'altar maggiore e per nove volte gli arsenalotti in gramaglie alzavano la bara (*el salto del morto* celiava la gente).

Scrive Pompeo Molmenti: «Il tempio di san Marco divenne l'aula del comune. Fra il patriarca e i vescovi mitrati, scintillanti d'oro e di gemme, fra un barbaglio di splendori e di colori, fra il clamore di canti e di preghiere, appariva il doge per presiedere la pubblica concione che trattava i supremi interessi dello Stato. La chiesa dell'evangelista rappresentava la patria, dove nessuna autorità poteva essere superiore a quella del doge, ch'ebbe il dominio assoluto sulla basilica, esercitando la sua azione sull'edificio e sui ministri ecclesiastici e laici; così che non si poteva provvedere ad alcun ufficio senza particolare licenza, ordine e decreto di Sua Serenità, *solus Dominus Patronus et verus gubernator Ecclesiae*. Fin dal 979, Tribuno Menio conferma essere la basilica, cappella privata dei dogi, *libera a servitute Sanctae Matris Ecclesiae*, e vani sempre riuscirono i tentativi di patriarchi e vescovi per rendere la chiesa di san Marco *subdita papae*».

Nel XIII secolo, quando la venerazione del santo protettore era diventata solida tradizione e nel suo nome Venezia aveva conquistato l'Oriente, qualcuno pensò di fabbricare una soave leggenda, con effetto retroattivo. Come a Enea errante nel Mediterraneo i fati avevano annunciato che soltanto nel Lazio, dove sarebbe nata Roma, avrebbe trovato riposo, così si mise in circolazione la storiella dell'evangelista Marco che, navigando da Aquileia verso Ravenna, era approdato nelle isole della laguna, dove gli apparve in sogno un angelo che gli disse: «*Pax tibi Marce*, qui troverai riposo, dopo morto, qui sorgerà una grande città».

I veneti non andarono tanto per il sottile e credettero con gioia al favoloso racconto che lusingava il loro orgoglio di «predestinati», di gente lanciata alla conquista dei mari, mentre altre popolazioni della penisola dormivano il lungo sonno medievale o si dilaniavano nelle lotte tra guelfi e ghibellini, svevi e angioini, Montecchi e Capuleti. San Marco era il loro palladio. Lui pregavano le spose e le madri dei marinai partiti per mari lontani, nel suo nome soldati e mercanti portarono a Venezia un pio bottino di statue, capitelli, colonne, bassorilievi, icone, vasi, ori, argenti, souvenir d'Oriente per arricchire la chiesa che aumentava in bellezza e in fasto, allo stesso ritmo della città. La basilica fu il lungo coro d'un popolo, l'ex voto cresciuto coi secoli, ogni generazione vi portò il suo contributo, lo stile dell'epoca, dal bizantino al gotico, dal romanico al rinascimentale, le sculture paleocristiane, i mosaici, gli archi a sesto acuto, in una sintesi di culture greca, latina, pagana e cristiana prontamente assimilate da una stirpe intraprendente e ricettiva come quella veneta.

Poiché le navi tornavano dall'Oriente cariche di merce pregiata ma leggera, come le spezie, i dogi ordinarono ai capitani di zavorrarle con pietre prese ai templi pagani o alle chiese cristiane diroccate. Tali pietre servivano per la fabbrica, per i restauri, per gli abbellimenti della basilica che i dogi curavano come proprietà privata (solo ai primi dell'Ottocento diventò cattedrale). Il doge trasferiva i vescovi, nominava il primicerio, una specie di arciprete, talvolta indossava la mitra. La carica più importante dello

Stato, dopo il doge, era il procuratore di san Marco, custode e amministratore del tempio, e fino agli ultimi tempi della repubblica massima aspirazione dei nobili era di poter aggiungere, al nome e cognome, questo titolo prestigioso.

Gli interdetti lanciati dai papi su Venezia non la spaventarono. Quando Paolo V pretese la consegna di due preti colpevoli di omicidio, per sottoporli al tribunale ecclesiastico, la Signoria rispose che ciò avrebbe violato le leggi dello Stato, e il clero veneziano si schierò col doge. Veneziani prima ancora che cattolici, erano gelosi della loro indipendenza da Roma, e probabilmente simpatizzarono per il Barbarossa quando, nel 1177, lo sconfitto di Legnano s'incontrò con Alessandro III, il papa alleato dei vittoriosi comuni lombardi. Che cosa fece l'imperatore, inginocchiandosi nel punto indicato oggi da una losanga bianca, nel pavimento dell'atrio? Secondo la tradizione, baciò il piede al pontefice, precisando che quel gesto d'umiltà era *non tibi, sed Petro* (non per te, ma per Pietro). Al che il papa avrebbe orgogliosamente risposto *et mihi et Petro* (e per me e per Pietro), mettendogli il piede sulla testa, come mostra in Vaticano l'affresco del Vasari, nell'anticamera della Cappella Sistina. Comunque sia andato il colloquio fra i due massimi poteri, sta di fatto che per il loro incontro fu prescelto san Marco, per ribadire con la supremazia della chiesa del doge su quella del vescovo, la peculiare posizione di Venezia nei confronti di Roma, che lo storico tedesco Reinhard Lebe chiama «autarchia ecclesiastica».

Per scongiurare i furti, il corpo dell'evangelista fu nascosto nella chiesa. In un posto segreto. Così segreto che, a un certo momento, non si sapeva più dove fosse. E i veneziani ci fecero una magra figura. Enrico IV, quello di Canossa per intenderci, capitato in città chiese al doge, Vitale Falier, di vedere la preziosa reliquia. Il doge l'accompagnò nella cripta, sotto l'altar maggiore, e fece aprire un ripostiglio noto soltanto a lui e a pochi fidi. Delusione: il corpo non c'era più. Sparito. Mortificazione del Falier, costernazione generale, irritazione di Enrico, che sospettava d'essere stato preso in giro. Allora il doge ordinò preghiere e digiuni a tutta la popolazione e dopo qualche settimana avvenne il miracolo: dalla lastra d'un pilastro improvvisamente apertasi sbucò la cassa, contenente i resti del santo. Per celebrare l'evento fu decretata un'apposita festa, da ripetere ogni anno.

Il culto delle reliquie (che secondo la teologia dogmatica andrebbe chiamato *dulia*, venerazione, essendo il culto, *latria*, riservato alla divinità) era nel medioevo assai radicato perché custodire il corpo d'un santo equivaleva a possedere un acconto di paradiso, un pegno (e quei mercanti s'intendevano di pegni) per l'aldilà. «Celesti banconote» le chiama il Lebe, il quale aggiunge che «come oggi si effrangono le porte delle banche e se ne ripuliscono le casseforti, così i veneziani penetrarono nelle chiese bizantine e ne saccheggiarono i reliquiari». A Dio, ancora circonfuso di terribilità biblica, il peccatore dava timidamente del lei. Ma ai santi, uomini come lui, e fatti degni, grazie all'esercizio eroico delle virtù, di salire accanto a Dio, il peccatore poteva, in un confidente abbandono giustificato dalla comune natura terrena e mortale, dare del tu. Molte reliquie, molti favori dal cielo. E non si indagava troppo per distinguere le vere dalle false, si accettava tutto per buono. «Allora si credeva davvero a ogni visione, ogni leggenda, ogni diceria, ogni invenzione» osserva il tedesco Egon Friedell, «si credeva al vero e al falso, al sensato e all'insensato, a santi e streghe, a Dio e al diavolo. Ma si credeva anche in se stessi».

Oltre a san Marco, lo «spionaggio religioso» organizzò il trafugamento di altri corpi, peccato che le cronache non ci abbiano tramandato il nome degli «007 delle reliquie» che nel 1105 portarono a Venezia, da Costantinopoli, il corpo di santo Stefano; nel 1125, da Chio, quello di sant'Isidoro; e nel 1485, dal castello di Ughiera presso Milano, il corpo di san Rocco, protettore contro la peste.

«Quel medesimo Stato che teneva in tanta soggezione il suo clero» annota il Burckhardt, «che si riservava il conferimento di tutte le cariche più importanti e che continuamente si metteva in opposizione con la curia romana, fu schiavo d'un ascetismo ufficiale di genere tutt'affatto particolare. Corpi di santi e altre reliquie importate dalla Grecia dopo la conquista turca si pagavano a prezzi elevatissimi e si accoglievano dal doge in solenne processione». Vero è che la repubblica, gelosa delle sue prerogative giurisdizionali nei confronti del pontefice romano, aveva assorbito procedure e liturgie paraecclesiastiche, come ad esempio la cerimonia, mezzo sacra mezzo profana, dello sposalizio col mare, che cadeva sempre nel giorno dell'Ascensione. Il milanese Santo Brasca, nella relazione d'un suo viaggio in Terrasanta (1480), descrisse scrupolosamente i corpi santi che vide e toccò a Venezia, in attesa d'imbarcarsi.

«Nel monastero de sancto Antonio:

El brazo de sancto Luca evangelista, la testa de sancto Giohanne elemosinario, parte del brazo de sancta Zezilia vergine et martire, uno osso de la gamba de sancto Simone apostolo, l'osso de la cossa de sancta Ursula, l'osso de la cossa de sancto Adriano martire, de la costa de sancto Stephano prothomartire, de sancto Martino veschovo, una de le spine de la corona de misser Iesu Christo, de sancta Maria vergene, de sancto Christoforo martire, de sancto Blasio martire, de sancto Bernardo abbate, del legno de la croce di misser Iesu, et molte altre reliquie de sancti martiri.

In sancto Salvatore:

El corpo de san Theodoro martire, la testa de sancto Sisto martire, che non fu papa, la maxilla de sancto Andrea apostolo, lo brazo de sancto Andrea apostolo, lo brazo de san Bartholameo apostolo, et altre reliquie assai.

In sancta Elena:

El corpo de sancta Elena con una croxeta facta del vero legno de la sancta Croce del Salvatore, la quale in vita portava continuamente adosso la dicta santa, et ha questa virtute, che a metterla nel fuocho non brusa mai, né pur se smarrisse di colore.

A san Blasio:

El brazo de san Blasio, el brazo con la mano de sancta Anastasia.

A san Canziano:

El corpo de san Maximo veschovo, la testa de sancta Eufemia.

A li Croxiceri:

La cossa de san Cristoforo, la testa de san Gregorio Nazanzeno, del sangue de sancta Marina, reliquie de san Lorenzo martire, el dente de san Christoforo, el dente de san Blasio con uno vase, nel quale beveva, de calcedonia; el corpo de sancta Barbara.

A san Daniele:

El corpo de san Giohanne martire che fu duca, el corpo de sancto Eustachio patriarcha de Constantinopoli, la testa de san Iacobo minore, de la sponga che fu dato l'aceto et fele a misser Iesu, del liquore de sancta Caterina, reliquie de san Cosmo et Damiano, parte de la testa con el brazo et la mano de san Zorzo, el brazo con la mano de sancta Lucia vergene et martire, la maxila et altre reliquie de sancta Maria Egiptiaca».

Francesco Guicciardini giudicò severamente il collezionismo veneziano di reliquie e, pur auspicando nei *Ricordi* che il buon cittadino sia sempre rispettoso della religione, non nascose che questa «bontà superflua dei nostri di san Marco» gli puzzava di «ipocrisia». Ma era un costume largamente diffuso, in Italia e fuori, alimentato da una doppia matrice: il non ancora debellato paganesimo e la tendenza delle masse, incapaci di astrazioni, a materializzare la fede in oggetti concreti. Intorno al Mille i montanari dell'Umbria volevano uccidere l'eremita san Romualdo, racconta Johan Huizinga, per impossessarsi del suo corpo, sicuramente miracoloso. Quando morì Tommaso d'Aquino un gruppo di monaci decapitò il corpo e lo bollì. A santa Elisabetta di Turingia, morta da poche ore, gli estimatori delle sue virtù tagliarono vesti, orecchie, capelli, unghie e capezzoli. Carlo VI, re di Francia, spartì con gli zii le costole dell'avo san Luigi, e siccome i prelati protestavano per l'esclusione, assegnò loro una gamba, perché se la dividessero in buona armonia. A Padova, di notte, si udivano i santi sospirare, assicura il medico Michele Savonarola, zio di Girolamo. A Milano i frati di san Simpliciano, nel restaurare un altare, disseppellirono involontariamente sei cadaveri di santi, il cielo cominciò a diluviare allagando strade e case, ragion per cui il popolino attribuì il nubifragio al sacrilegio e bastonò i poveri frati sulla piazza.

Torniamo al diario di Santo Brasca: «Visitai la chiesia

magiore di san Marcho, bellissima et lavorata de soto, de sopra et di fuora a tuto musaico, ove la nocte de l'Assenso vien monstrato circa un palmo di sangue, quale se dice che uscite miraculosamente fuora d'uno crucifixo in questa forma: che avendo uno baratero giochato et perso li dinari, per disperatione più volte trete del cultello nel pecto de la figura del crucifixo et uscitene questo sangue, al quale, quando si mostra, concorre tuto el populo et tute le scole de Venetia, con uno doppiero in mano; et ègli anchora el crucifixo in publico al mezo de la chiesia, che ogniuno lo pò vedere con le ferite apertamente. Quivi etiamdio se mostra una parte del thesoro, et ègli in quel giorno indulgentia plenaria».

Spezie e indulgenze, navi e cattedrali, la religione sorreggeva i commerci. Nel 1222, presa Costantinopoli e fondato l'impero latino d'Oriente, i veneziani pensarono seriamente di trasferirsi sul Bosforo, abbandonando la laguna dove «tutto quello che se magnava e se beveva e in tutti i usi della vita se consumava, tutto era portato da paesi esterni, non formento, non biava de sorte alcuna, non vin né legno, non oglio... nasceva in questi luoghi se non cape e granzi e altri pesseti malsani e de cattivo notrimento», denunciò in assemblea il doge Pietro Ziani, fautore del trasferimento in massa. Aggiunse le recenti inondazioni, l'insopportabile fetore dei canali, l'odio dei patriarchi d'Aquileia, il precedente di Costantino che pure lui si era trasferito a Bisanzio, considerandola la città dell'avvenire. Si alzò allora a parlare il vecchissimo e autorevole Angelo Falier, procuratore di san Marco, che trattenendo a stento le lacrime smontò a uno a uno gli argomenti del doge e difese Venezia e la sua divina predestinazione con tanto vigore, che la proposta fu bocciata. Per un solo voto, «una sola ballotta fu quella che fece tanto giudizio». Quello fu poi chiamato «il voto della Provvidenza».

Quante furono le chiese di san Marco?

Secondo Ferdinando Forlati, il «proto» della basilica, cioè primo architetto, che nel dopoguerra diresse importanti ricerche e restauri, le chiese non sarebbero tre, come fu lungamente creduto e come molti studiosi continuano a credere, bensì due. La prima chiesa fu eretta nel IX secolo, appena i resti del santo arrivarono a Venezia. Nel 976, durante una sommossa popolare, scoppiò un incendio che non distrusse tutto l'edificio, come taluni pensano, bensì il tetto, subito ricostruito da Pietro Orseolo. Quella che generalmente si chiama la terza chiesa sarebbe invece la seconda, ed è opera del doge Domenico Contarini, che nel 1063 fece abbattere il tempio fino al pavimento e ne ricostruì, con lo stesso materiale, un altro più bello, più ricco. Venezia era cresciuta in potenza, aveva conquistato l'Adriatico, bisognava dare al santo, tesoro di Stato, una sede.

Quella che noi vediamo è dunque, a parte le aggiunte delle epoche posteriori, la basilica dell'XI secolo, sorta in un'epoca in cui si gareggiava nel costruire la chiesa più bella, come oggi si cerca di avere la metropolitana più grande o il grattacielo più alto. Ignoto l'architetto. Narra la leggenda che il doge mandò a chiamare un capomastro zoppo e gli disse:

«Voglio che tu mi faccia la più bella chiesa del mondo».

«D'accordo. Però se sarai soddisfatto del lavoro, prometti che collocherai nel tempio la mia statua, a memoria dei posteri».

La chiesa, continua la tradizione, non riuscì pari alle aspettative; il doge (gusti difficili, questi veneziani) vi trovò parecchi difetti, perciò l'autore non ebbe la statua e sfogò il suo avvilimento raffigurandosi in un bassorilievo, nei panni d'un vecchio con le stampelle, che si morde un dito per la rabbia (terzo portale, base del sottarco, a sinistra). Che cosa c'è di vero in queste leggende? Forse nulla. La critica storica può smantellarle senza difficoltà, ma non riuscirà mai a distruggerne il profumo di poesia.

San Marco ebbe tre feste annuali, poi ridotte a una, con banchetto solenne a palazzo e licenza ai cittadini d'indossare, per l'occasione, bautta e tabarro, abbigliamento preferito da questo popolo imperiale e vernacolo, goldoniano prima ancora che nascesse Carlo Goldoni. Ogni occasione era buona per far festa. Una festa per celebrare la fondazione della città, un'altra per i santi apostoli, un'altra per la presa di Costantinopoli, e poi per la vittoria sui padovani, per la lega di Cambrai, per la conquista della Morea, eccetera.

Quarantun feste in un anno, non sempre coincidenti con le domeniche. Il culto delle gloriose memorie obbediva a un calcolo di pedagogia politica, la frequenza delle cerimonie politico-religiose teneva i veneziani in uno stato di tensione morale, accresceva la fiducia in se stessi, contro ogni ostacolo, in pace e in guerra. Un popolo che commemora le sue vittorie è un popolo che spera di vincere ancora.

La festa delle feste era l'ingresso del nuovo doge. Esaminiamo quello di Domenico Selvo, successore del Contarini, XI secolo. Sul lido di Olivolo (l'attuale Castello) la folla va incontro all'eletto osannando, i maggiorenti lo sollevano sulle spalle, lo mettono su una barca, diretti a san Marco. Mentre le campane suonano a distesa e il popolo intona il *Te Deum* e il *Kyrie eleison*, Selvo si toglie le scarpe, entra nella basilica e si prostra a terra. Ascoltata la messa, giura fedeltà alle leggi, riceve dal primicerio lo stendardo della repubblica, il manto ducale, poi sale su un pergamo di legno, detto il «pozzetto» e viene portato in giro per la piazza da ottanta popolani, preceduti da funzionari che lanciano monete. La pioggia d'oro e d'argento aizza un rapace parapiglia, appena arrivato a palazzo il primo atto di governo del doge è l'ordine di aggiustare *januas et sedilia*, le porte e le sedie fracassate dall'incontenibile folla.

Domenico Selvo fu il primo a mettere i mosaici nella basilica, era uomo raffinato, sposo d'una principessa bizantina raffinatissima, sorella dell'imperatore Michele VII Ducas, che soleva bagnarsi in acque odorose, si lavava la faccia con la rugiada raccolta di buon mattino da un drappello di schiavi, e si era portata in dote un arnese mai visto da noi, una posata che i rudi occidentali, avvezzi a mangiare con le mani, considerarono segno di decadenza morale, se non addirittura uno strumento del demonio: la forchetta. Questo lusso sfrenato scatenò i fulmini di san Pier Damiani, l'ascetico frate che nel *De perfecta monachi informatione* aveva esaltato la sporcizia come un preciso dovere cristiano; e quando la dogaressa morì disfatta da un'orrenda cancrena, i moralisti videro nella sua fine un giusto castigo del cielo.

Poi, si sa, *Graecia capta ferum victorem cepit*, la Grecia conquistata conquistò il rozzo conquistatore. Era già toccato ai romani; e toccò a questi romani del medioevo che sono i veneziani. Con la quarta crociata (1204) Venezia, utilizzando per i suoi fini imperiali una spedizione salpata dalle lagune al canto di *Veni creator spiritus*, prende Costantinopoli, il doge assume il titolo di «signore di un quarto e mezzo dell'impero d'Oriente» (oltre il 37 per cento di tutti i territori greci), la severità romanica della città e della sua basilica si orpella di sensuale fasto bizantino. Cinquecento colonne sono caricate sulle navi e trasportate in patria. Davanti all'ippodromo c'è un gruppo di quattro cavalli di bronzo: che bel soprammobile per san Marco! E caricano anche quelli. «Pare che nitriscano e scalpitino», dirà appena li vede Francesco Petrarca.

Mai cavalli di carne e ossa fecero tanta strada come questi fatti di rame (98,75 per cento), stagno (uno per cento), il resto è piombo e argento. Opera dell'età ellenistica, pesano ciascuno ottocentotrentacinque chili, ed erano stati mandati da Rodi a Delfi, ex voto dopo un assedio. Conquistata la Grecia, i romani li trasferirono a Roma sull'arco di Nerone, e poi su quello di Traiano. Costantino li portò a Costantinopoli, collocandoli nell'ippodromo dove li trovò l'ottuagenario doge Enrico Dandolo quando nel 1204 prese la città. Napoleone Bonaparte li traslocò a Parigi, sistemandoli prima davanti al Louvre, poi sull'arco del Carrousel. Tornarono a Venezia nel 1815. Durante la prima guerra mondiale furono messi in un sotterraneo e, dopo la rotta di Caporetto, trasportati per via fluviale a Cremona, di qui per ferrovia a Roma, a palazzo Venezia. Attraverso tutte queste peripezie sono passati indenni, tranne un cavallo che perdette uno zoccolo, sostituito con una copia.

Dicono i gondolieri che ogni volta che si toccano i cavalli crolla uno Stato o è appena crollato. Controlliamo le date. Anno 1204: cade l'impero greco e i cavalli emigrano a Venezia. 1797: Napoleone cede la Serenissima all'Austria e i cavalli vanno a Parigi, per tornare al loro posto dopo Waterloo. 1915: l'Italia entra in guerra, i cavalli sfollano, l'impero degli Asburgo ha gli anni contati. 1940: vengono rimossi per evitare i bombardamenti della seconda guerra mondiale e crolla l'impero di Vittorio Emanuele III.

Immune da rapine (pur essendo parziale frutto di rapine guerresche) è la Pala d'oro, che si trova dietro l'altar maggiore. Lunga tre metri e quarantotto centimetri, larga uno e quaranta, ha trentacinque chili d'oro, sessantacinque d'argento, mille perle, trecento granati e smeraldi, duecento zaffiri, più di cento ametiste. Fu ordinata a Costantinopoli dal doge Pietro Orseolo I, poi rimaneggiata da Ordelaffo Falier e da Pietro Ziani che l'arricchì col bottino della quarta crociata. Nuovo ampliamento sotto Andrea Dandolo (1345). Quando arrivarono i francesi di Napoleone, animati da propositi di preda non diversi da quelli con cui i veneziani erano andati in Oriente, il parroco salvò la Pala inventando una santa bugia: «Macché Pala d'oro! È falsa. Non siamo così stupidi da lasciare in bella vista gioielli autentici». Così i francesi rubarono soltanto i cavalli.

In questo censimento di refurtive va registrata anche la grossa campana che i veneziani portarono da Candia e sistemarono, in aggiunta alle altre, sul campanile, indiscusso regolatore della vita della città, dall'alba al tramonto. La «marangona» chiamava di buon'ora i marangoni (falegnami e, per estensione, tutti gli operai) al lavoro; più tardi la «trottiera» esortava i patrizi ad accelerare il passo (trottar) perché il doge li aspettava a consiglio, il campanon di Candia annunciava le cerimonie solenni, quello «del maleficio» le esecuzioni capitali. Il campanile, il più famoso superstite degli innumerevoli campanili esistenti in passato, fu iniziato nel IX secolo, rifatto dopo un fulmine del 1489, e crollò alle ore dieci di lunedì 14 luglio 1902, senza fare vittime, senza danneggiare la chiesa. Andò distrutta invece la Loggetta del Sansovino. Sul campanile, che i veneziani chiamano «el paron de casa», erano saliti Galileo a studiare il cielo col cannocchiale e Goethe a contemplare l'aperto mare. Poche ore dopo il crollo si riunì il consiglio comunale, che deliberò di ricostruirlo «com'era e dov'era». Il nuovo campanile fu inaugurato dieci anni dopo, il 25 aprile 1912, giorno di san Marco. È alto novantanove metri.

Anche adesso suona la «marangona», e se il vento è favorevole, i rintocchi, scavalcando la laguna, arrivano in terraferma, ai molti veneziani che, invertendo il cammino degli antichi padri, hanno abbandonato le isole minacciate da un nuovo Attila, il degrado urbanistico; arrivano a Mestre, a Marghera, alle decine di migliaia di lavoratori che il fischio delle sirene tutte le mattine chiama nelle basiliche dell'Iri, nei santuari della Confindustria, dove si venera la Produttività e il Prezzo Competitivo, santi del nostro secolo.

Venezia si spopola, Venezia sprofonda. Negli anni Sessanta, san Marco cedeva dalla parte delle Mercerie «come una nave che si corichi su un fianco» per usare un paragone di Forlati. Il tempio fu sottoposto a una cura di endovenose di cemento nelle colonne e nelle pareti per riempire i vuoti delle travature, polverizzate dai secoli. Questi poveri pilastri, per ogni centimetro quadrato, poco più d'un'unghia, sopportano una pressione di otto chili, mentre la norma prevede un chilo per centimetro. Il più grande miracolo del santo è aver tenuto lontani i terremoti, altrimenti la basilica, fondata su pali piantati nella sabbia, non esisterebbe più da un pezzo. Negli ultimi anni la situazione è migliorata, grazie anche alla chiusura dei pozzi artesiani, per colpa dei quali il terreno si abbassava come un gommone che si sgonfia. Talvolta si è addirittura verificato un innalzamento, sia pure in misura infinitesimale. Resta tuttavia la periodica offesa dell'acqua alta, che invade il nartece parecchie volte in un anno, mentre nella basilica, che si trova a un livello più alto, l'acqua è entrata una sola volta nella storia della città: durante l'alluvione del 4 novembre 1966. In quel tragico giorno la marea dell'Adriatico, sospinta dallo scirocco, gonfiò paurosamente la laguna fino a un metro e novantaquattro sopra il livello medio, sommergendo calli e campielli. La più bella e fragile città del mondo parve condannata a morte. Per fortuna, la campana «del maleficio» non suonò.

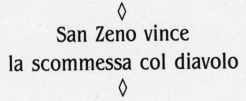

◊

# San Zeno vince
# la scommessa col diavolo

◊

Tra papato e impero litiganti per le investiture, il terzo a godere fu il comune, la nuova entità politica che esaltò, in vittoriosa polemica con le arcaiche strutture feudali, le forze delle nascenti città. I monarchi del Sacro romano impero ripetevano da Dio la loro autorità; i comuni, più modestamente, s'accontentarono d'un santo; Milano chiamò Ambrosiana l'effimera repubblica-cuscinetto tra Visconti e Sforza, Venezia stampò sulle monete l'effigie di san Marco. Nella lunetta del portale di san Zeno, attorno alla figura del patrono benedicente, cittadini veronesi divisi in due gruppi, a destra i *milites*, cavalieri, a sinistra i *pedites*, pedoni, reggono un vessillo. La lunetta, scolpita tra il 1137 e il 1138, dimostra dunque che in quel tempo già esisteva il comune, come contratto sociale tra i magnati e i mercanti, tra i nobili esperti delle armi e i borghesi arricchiti con le arti. Attorno alla lunetta si legge: «Il vescovo dà al popolo un segno degno d'essere difeso. Zeno concede il vessillo con cuore sereno».

Sebbene provenisse dall'Africa (o dalla Siria), il vescovo «moro», ottavo della serie, assomigliava ai veronesi per la giovialità del carattere, la dolce pazienza, il filosofico sorriso con cui sedeva in riva all'Adige, a pescar trote. Era il suo hobby, tra un miracolo e l'altro. Il potente Gallieno avendo una figlia invasata dal demonio mandò a cercare Zenone, perché la liberasse; e i suoi messaggeri, incontrato un pescatore seduto su una pietra, gli domandarono:

> *Omo in lapidem*
> *piscans in Adisem,*

*tu nobis indica*
*Zenonem nomine*

(O uomo seduto su una pietra, che peschi nell'Adige, indica a noi uno di nome Zenone).

«Sono io» rispose il santo, «che volete?»

*Rogat te imperium*
*ad se te convocat*
*pro sua filia,*
*quam demon suffocat.*

(L'imperatore chiede di te, ti convoca da lui, in aiuto di sua figlia, che il demonio soffoca.)

Il santo corse da Gallieno (che non era l'imperatore, morto nel 268, mentre il santo visse nel IV secolo, quindi si tratta probabilmente dell'omonimo Gallieno, magistrato della Rezia) esorcizzò il demonio ed ebbe in premio una preziosa corona. Un'altra volta, sempre mentre pescava, vide un uomo su un carro trascinato da buoi indemoniati, si fece il segno della croce, il demonio fuggì e il carrettiere fu salvo.

Anche dopo morto l'ottavo vescovo di Verona si prodigò per la sua città. Nel 589 il re longobardo Autari, sposo novello di Teodolinda, la regina che convertì il suo popolo al cattolicesimo, assistette a un singolare prodigio. Uscito dal suo letto, l'Adige aveva sommerso la città arrivando fino al tetto d'una chiesa (che secondo alcuni non sarebbe l'attuale basilica), fermandosi sul vano della porta: i fedeli, chiusi dentro, ebbero salva la vita. Così racconta san Gregorio Magno. Il monaco Coronato, scrivano dell'abbazia di san Zeno (fine del VI secolo), precisa: «Sebbene le porte fossero aperte, non entrò nemmeno un filo d'acqua e così l'acqua, arrestatasi, ostruì l'ingresso della chiesa come se quell'elemento liquido fosse diventato solido al pari d'un muro. Vedendo tale fatto, il popolo che era accorso per onorare Dio e il suo santo sacerdote, gridava in preda al panico che sarebbe morto di fame e di sete [...] ma venuti alla porta della chiesa per cercare di dissetarsi poterono bere l'acqua, la quale, come ho detto sopra, era cresciuta fino all'altezza delle finestre, e tuttavia non penetrava nella chiesa. Così poteva esser bevuta come acqua, ma come acqua non poteva scorrere».

Siccome l'Adige in un secolo straripava due, tre volte, i veronesi affidarono le loro sorti idrauliche al santo pescatore, raffigurato in una statua dal volto bruno e ilare, detta «san Zen che ride», a sinistra del presbiterio, con in mano il pastorale da cui pende un pesciolino, simbolo cristiano quant'altri mai. Non dimentichiamo che nel medioevo cristiano gli animali erano guardati con teologica diffidenza: il drago e il grifone erano involucri del diavolo, il cavallo godeva dubbia fama, perché usato da Satana nei suoi travestimenti, e perché immolato dai pagani del nord Europa durante i loro sacrifici agli dèi. Dopo la battaglia di Verona fra Teodorico e Odoacre (489) il re goto distribuì ai poveri della città i cavalli rimasti sul campo (dal che sarebbe nata, macerando la carne nel vino, la *pastissada de caval*), ma la carne equina fu vietata dai papi del tempo, perché ricordava un rito non cristiano. Il simbolismo cristiano del pesce nasceva dal suo nome greco *ichthýs*, le cui lettere corrispondono alle iniziali della frase: Gesù Cristo figlio di Dio Salvatore.

Dopo l'Adige, il demonio. Le vittorie riportate su di lui dal santo vescovo sono raccontate in alcune formelle del portale e sintetizzate nella lunetta dove, ritto tra *pedites* e *milites*, Zeno schiaccia coi piedi il re delle tenebre. Il demonio è il principio del male, colui che devia l'uomo dal retto cammino e impedisce alle ragazze di arrivare vergini al matrimonio (*omeni e done - diàolo in mezo* ammonivano i parroci di campagna).

Siccome il diavolo è l'immagine rovesciata di Dio, la «scimmia di Dio», l'immaginazione popolare contrappose alle gerarchie celesti simmetriche gerarchie infernali, e alcuni teologi affermarono che ai diavoli che, prima della caduta, erano serafini e cherubini, spettava, e solo a loro, il titolo di principe. Chi in cielo era stato angelo semplice non poteva aspirare ad alcuna carica: restava diavolo semplice. In *Le diable, sa grandeur et sa décadence* (Parigi, 1864), il demonologo J.M. Cayla attribuisce alla corte infernale un preciso organigramma:

Principi e grandi dignitari — Belzebù, capo supremo degli inferi. Satana, principe detronizzato, capo dell'opposizione. Eurinomio, principe della morte. Moloch, principe del paese delle lacrime. Plutone, principe del fuoco, governatore generale dei paesi in fiamme, sovrintendente alle caldaie che bolliscono i dannati. Pan, principe degli incubi. Lilith, principe dei succubi. Leonardo, gran maestro del sabba. Baal-Beret, pontefice massimo. Proserpina, arcidiavolessa.

Ministri — Adramelech, grande cancelliere. Astaroth, gran tesoriere. Nergal, capo della polizia segreta. Baal, ministro della guerra. Leviatano, grand'ammiraglio. Lucifero, ministro di giustizia.

Ambasciatori — Belfagor in Francia, Mammone in Inghilterra, Belial in Italia, Rimmone in Russia, Tanin in Spagna, Hutgin in Turchia, Martinetto in Svizzera.

Funzioni esecutive — Metcom, ufficiale pagatore. Crisroc, capo delle cucine. Biemot, grande mescitore. Dagon, gran panettiere. Muttino, primo valletto di camera. Kubal, sovrintendente agli spettacoli e belle arti. Asmodeo, controllore delle case da gioco. Nibba, buffone di corte. Anticristo, prestigiatore e negromante.

L'incubo della dannazione eterna fu, assieme a quello delle inondazioni e delle pestilenze, l'angosciato tormento del medioevo. Ci salveremo? si domandavano le folle percosse dai ricorrenti flagelli attribuiti alla collera divina. E l'inferno, come era fatto? Quando l'esule Alighieri passeggiava per le vie di Verona, le donnette bisbigliavano che aveva la pelle scura per il fumo sofferto «laggiù».

La paura dell'aldilà spingeva l'uomo ad abbandonarsi nel rassicurante abbraccio della fede. La severità dello stile romanico, dei suoi edifici chiusi come fortezze, rifletteva questa angoscia e appagava questo bisogno di protezione.

Sulla facciata della basilica, gioiello del romanico italiano, una scultura racconta la leggenda del re Teodorico che, fatto il bagno in Adige, monta su un cavallo, che non è un cavallo, ma un travestimento di Satana. Invece di portarlo a caccia, il diabolico quadrupede lo conduce oltre Appennino, finché arriva in vista d'un vulcano:

*Quivi giunto il caval nero*
*contro il ciel forte springò*
*annitrendo e il cavaliero*
*nel cratere inabissò.*

Così il Carducci. Contro il demonio, Teodorico, non poté nulla, invece Zeno lo umiliò, degradandolo a facchino. All'inizio della navata sinistra della basilica troneggia una vasca di porfido, del diametro di oltre due metri, che il santo fece venire dalle terme di Roma, servendosi della straordinaria forza fisica del principe delle tenebre.

Il diavolo se ne stava rincantucciato entro una grotta sui monti di Avesa, nei dintorni della città e visto passare il vescovo gli propose, per sgranchirsi le gambe:

«Vuoi fare una partita?».

«Volentieri».

«A palla?».

«A palla».

«Va bene anche se passa il peso?».

«Come vuoi. Guarda che deve pesare come quella vasca rossa, di porfido, che, se vinco io, dovrai portarmi da Roma a Verona, in un fiat. Accetti?».

«Accetto».

Il diavolo lanciò una palla simile al cocuzzolo d'un monte. Per tamburello, ci voleva l'Arena. Zeno, tranquillo, lo ribatté col pastorale. Il diavolo sconfitto corse a Roma e, rispettoso dei patti, trasportò a Verona la vasca.

L'altro «diavolo» era il Barbarossa. Contro di lui i veronesi allestirono il carroccio, promossero la Lega Veronese, integrata poi in quella Lombarda: un patto ventennale fra quattordici città, sancito dal voto di tutti i cittadini fra i quattordici e i settant'anni. Quando il carroccio non era in servizio, lo si parcheggiava dentro la basilica e nessuno si sognava di toccarlo, nemmeno il Barbarossa, che durante i suoi viaggi in Italia sostava spesso a Verona, alloggiando a due passi dalla chiesa, nell'abbazia benedettina, metà convento metà fortezza.

Anche se non fu mai sede di cattedra vescovile, san Zeno fu, nella storia veronese, qualcosa di più d'una cattedrale, era la chiesa ufficiale, il sacrario, il tempio della città-Stato. «*Sanctus Zeno factus est corpus nostrum*» deliberò l'assemblea cittadina nel 1178: membro del corpo civico, parte integrante. Tre secoli dopo, il 25 novembre 1473, presente il podestà, il consiglio comunale deliberò di inciderne l'effigie nel sigillo della città con un orgoglioso motto che, attribuendole il carattere di città santa, proclamava: «Verona, Gerusalemme minore, a san Zeno suo patrono».

Nel prendere possesso del suo ufficio, il podestà doveva fare una visita alla basilica. Ecco il suo giuramento: «Giuro per Dio onnipotente e il Figlio di Lui unigenito Signor Nostro Gesù Cristo, e lo Spirito Santo, la santa e gloriosa e sempre vergine Maria, e per i quattro vangeli che tengo nelle mani, e i santi arcangeli Michele e Gabriele, di prestare alla città e comunità e università di Verona una coscienza pura e un fraterno servizio nell'occasione dell'amministrazione affidatami. E che pacificherò tutte le discordie che sono, o saranno, in Verona o nel suo distretto (...) Non commetterò furto o frode alle cose del comune (...) Sarò contento di tremila lire di denari veronesi e dell'alloggio e stallo del comune di Verona e della mobilia che vi è ora del comune per mio salario (...) Se qualcuno avrà tosato i denari veronesi gli farò troncare la mano, se potrò. Proibirò durante tutto il mio governo che siano tenute scrofe in città o nei sobborghi. Proibirò che in Verona e distretto si giochi d'azzardo o altro gioco di dadi o scacchetti (...) al contravventore toglierò ogni volta venti lire di multa».

La mutilazione come punizione d'un reato era tranquillamente accettata dal diritto penale e dall'opinione pubblica. Ai falsari si tagliava la mano, agli assassini la testa. Per le assassine, il rogo. In una delle sue calate in Italia, il Barbarossa passò l'Adige a Verona su un ponte di barche improvvisato dai cittadini, ma grossi tronchi portati dalla corrente spezzarono in due il ponte, e l'esercito imperiale. Si gridò al tradimento e il Barbarossa fece tagliare il naso ai veronesi sospetti di sentimenti antitedeschi. Poi andò, come il solito, a dormire nell'abbazia.

Come tutte le abbazie benedettine, anche quella di san

Zeno godeva di autonomia rispetto alle consorelle, e rispetto al vescovo. L'abate aveva poteri assoluti, *abbas in abbatia est imperator*. Gli abati governavano feudi vasti talvolta come province; quello di san Zeno aveva proprietà vicino al Garda (Bardolino, Affi, Pastrengo), nella Bassa (Vigasio, Trevenzuolo) e sul Po (Ostiglia).

Nell'812 ottenne da Carlo Magno la concessione d'un terzo dei redditi che lo Stato percepiva in occasione della fiera annuale del santo; nell'893, da re Berengario, il diritto di libera circolazione fluviale. Studi recenti hanno messo in dubbio la tradizione che farebbe risalire la chiesa al V secolo. Essa sarebbe di qualche secolo posteriore, in ogni caso non si sottrasse, e con essa il monastero, al fuoco appiccato da invasori barbari non meglio identificati. Intorno all'806 Pipino re d'Italia, figlio di Carlo Magno, la riedificò. Architetto l'arcidiacono Ireneo Pacifico, versatile ingegno di fisico, matematico, letterato, e marcantonio dai muscoli d'acciaio, se è vero il racconto che lo vuole protagonista d'un singolare «giudizio della Croce».

Tra il clero e la città era sorta una controversia per i restauri delle mura a difesa della città. Erano stati fatti costosi lavori di riparazione e nessuno voleva saldare il conto. Il clero si disse disposto a contribuire per un quarto della spesa, la città pretendeva che sborsasse almeno un terzo. Per tagliar corto si ricorse a un «duello» di resistenza muscolare fra due chierici: Aregauso rappresentava l'amministrazione civile, Pacifico il «partito di san Zeno», cioè gli ecclesiastici. Condotti nella chiesa di san Giovanni in Fonte, essi alzarono, stando ritti in piedi, le braccia in croce, all'inizio della messa e avrebbero dovuto tenerle in quella posizione per tutta la lettura del Vangelo. Chi le abbassava per primo avrebbe perso. Il Vangelo era d'una lunghezza estenuante, l'interminabile *Passio* secondo Matteo che si legge la domenica delle Palme; Aregauso non resse allo sforzo e cadde svenuto. Era la prima sconfitta del potere civile nei confronti di quello spirituale.

Le contese di natura finanziaria seminarono zizzania anche in seno al clero, e precisamente fra i canonici della cattedrale e i monaci dell'abbazia, per la spartizione delle elemosine lasciate dai fedeli sulla tomba del santo. La controversia fu risolta dividendole a metà. Per combattere le sperequazioni economiche che affliggevano il corpo clericale, il vescovo Raterio (X secolo) propugnando il ritorno ai puri ideali evangelici propose addirittura una ridistribuzione dei beni ecclesiastici. Non l'avesse mai fatto. L'alto clero conservatore, toccato nei suoi interessi, gli aizzò contro il popolino, costringendolo per tre volte a tornarsene, nonostante l'appoggio dell'imperatore Ottone, nella natia Liegi.

Ai monaci Raterio, pure lui monaco, aveva ricordato che bisognava evitare «come una specie di sacrilegio» l'uso degli aggettivi *mio, tuo*. Voce nel deserto. Come potevano ascoltare quel monito abati e vescovi che re e imperatori periodicamente coccolavano, concedendo beni e privilegi? Se subito dopo il Mille Verona contava seicento ecclesiastici su diecimila abitanti (oggi, in proporzione, sarebbero sedicimila) è lecito il sospetto che molti entrassero nella vigna del Signore non tanto per coltivarla, quanto per piluccarne l'uva.

Nel 1117, dopo un terremoto, si riprese per la terza volta a lavorare alla basilica, che fu praticamente rifatta, con l'aggiunta d'una campata verso ovest. Lo scultore Nicolò scolpì l'elegante protiro con due leoni stilofori, che portano le colonne «del diritto» e «della fede». Sue sono le scene del Vecchio Testamento scolpite a destra del portale, tra cui la brutta avventura di Teodorico. A sinistra del portale, scene del Nuovo Testamento, attribuite da qualcuno al Wiligelmo del duomo di Modena. Le bellissime formelle di bronzo del portale pare siano opera di tre artisti, di epoche diverse, comunque anteriori al 1138. Quelle di sinistra, più antiche, di gusto più primitivo, coprivano la porta della chiesa anteriore al rifacimento del XII secolo: una porta più piccola dell'attuale. La maggior parte raffigura la vita di Cristo: l'annunciazione, Natale ed Epifania, fuga in Egitto, i profanatori del tempio, battesimo di Gesù, Gesù fra i dottori, ingresso in Gerusalemme, lavanda dei piedi, ultima cena, la cattura, via Crucis, processo, flagellazione, crocifissione, le Marie al sepolcro, discesa al limbo, ascensione.

Nel battente destro, meno antico: creazione e tentazione di Eva, condanna dei progenitori, loro espulsione dal Paradiso terrestre, Caino e Abele, la colomba di Noè, maledizione di Cam, il patriarca Abramo, Abramo con gli angeli, sacrificio d'Isacco, la legge sul Sinai, strage dei primogeniti, serpente di bronzo, Balaam, albero genealogico di Cristo, Salomone con due profeti, Zeno dona il pesce, Zeno libera l'ossessa, Nabucodonosor e i fanciulli nella fornace, carrettiere salvato da Zeno, Gallieno dona la corona al santo, eccetera. Noè fabbrica l'arca, Michele atterra il drago.

Per entrare nella chiesa si salgono alcuni gradini, simboleggianti il distacco dello spirito dalle cose del mondo, poi se ne scendono alcuni, invito all'umiltà. La pianta è basilicale, a tre navate, con cripta che custodisce in un'urna d'argento i resti del patrono. Sopra la mensa dell'altar maggiore spicca il mirabile trittico di Andrea Mantegna che raffigura a sinistra i santi Pietro, Paolo, Giovanni evangelista e Zeno; in mezzo, la Madonna col Bambino in trono fra gli angeli; a sinistra, i santi Giovanni Battista, Agostino, Lorenzo e Benedetto. Nel 1797 il quadro fu portato a Parigi, napoleonica preda di guerra, e tornò nel 1815, dopo Waterloo, ma le tre tavolette della predella (scene della Passione) restarono in Francia, quella mediana al Louvre, le laterali al museo di Tours. Sono state sostituite con copie.

Nella rinnovata basilica una delle cerimonie più solenni fu il matrimonio tra Ezzelino da Romano e Selvaggia, figlia di Federico II, il 23 maggio 1238: Ezzelino, il sanguinario tiranno la cui madre nell'omonima tragedia scritta da Albertino Mussato confessa che è figlio del diavolo, e lui si vanta di tanta paternità. Per sei giorni il popolo «sanzenato» mangiò e bevve gratis, mentre l'imperatore e il suo segretario Pier delle Vigne alloggiavano nell'abbazia. L'anno successivo Pier delle Vigne lesse sul sagrato il bando che dichiarava nemici dell'imperatore (scomunicato) tutti i nemici di Ezzelino.

Si può dire che la basilica crebbe e fiorì sotto una tempesta di fulmini romani, in un turbinare di eresie contro cui non sarebbe valso a nulla suonare la campana «del figàr», miracolosa nell'allontanare i temporali. Nella seconda metà del XIII secolo il capitano del popolo Mastino della Scala, ghibellino, la cui famiglia secondo il sarcasmo del fiorentino Giovanni Villani si sarebbe arricchita fabbricando scale, si schierò, nella lotta fra impero e papato, con il primo, accogliendo in città il giovanetto Corradino di Svevia. Papa Clemente IV lanciò l'interdetto su Verona (1267). Il perdono da Roma arrivò alcuni anni dopo, quando il fratello di Mastino, Alberto, diventato signore della città bruciò in Arena (13 febbraio 1278) centosessantasei eretici patarini, catturati a Sirmione. Le eresie trovarono terreno fertile nel Veronese e nel Bresciano, specialmente sul lago di Garda, e quella dei patarini (da *Pataria*, nome del mercato degli stracci a Milano, vale a dire straccioni) propugnava un ritorno della chiesa all'antica povertà evangelica, l'abolizione delle classi sociali, eccetera.

Sotto Cangrande, altra polemica con Roma. Morto Arrigo VII, il papa si arrogò i diritti dell'impero, ma Cangrande, vicario imperiale, amico di Dante e fautore, come lui, della separazione del potere spirituale da quello temporale, energicamente si oppose. Il papa, che era Giovanni XXII, fulminò l'interdetto su Verona e il suo principe (aprile 1318); il clero veronese, ghibellino, non se ne curò e continuò a celebrare la messa.

L'anatema fece di Cangrande il capo naturale dei ghibellini italiani, che lo nominarono capitano generale, con appannaggio di fiorini e milizie. Bertrando del Poggetto, legato pontificio, lo dichiarò eretico e bandì contro di lui una crociata. Fallita. I preti veronesi, cui il simpatico principe faceva prodighe donazioni, pregavano il Signore per la vittoria dello Scaligero, che sembrava baciato in fronte dalla fortuna.

> *Franco barone de gran çentileça*
> *largo e cortese e nobil per certeça*
> *el viso era pleno d'alegreça*
> *one stasone*

così un poeta pianse la scomparsa di Cangrande, quando con le sue geniali azioni di guerra aveva conquistato quasi tutto il Veneto. Morì a trentott'anni per una congestione avendo bevuto, sudato, acqua gelata. Dopo di lui cominciò il declino del casato, Verona passò ai Visconti, ai Carraresi (per un anno), infine ai veneziani. Il carroccio, simbolo dell'unità civile e religiosa del comune, restò nella chiesa di san Zeno, anche sotto i nuovi padroni. Ma oramai era un pezzo da museo.

L'unica volta che apparve in piazza fu appunto in occasione della «dedizione» alla repubblica veneta, votata dai veronesi nel 1405 e solennizzata con una processione, presenti i *milites* e i *pedites*, cioè le classi sociali che avevano giurato, tre secoli prima, il patto comunale. Dell'ambasceria che condusse la trattativa con la Serenissima faceva parte anche un modesto popolano, Bartolomeo Confalonieri, aggregato in virtù del cognome: discendeva infatti dalla famiglia che ai tempi eroici del comune aveva il compito di portare il gonfalone. Nel momento stesso in cui ribadivano la rinuncia alla libertà, i veronesi ne riesumavano simbolicamente, quasi per un mesto addio, le perdute istituzioni.

Una ventina d'anni dopo vennero ad abitare in san Zeno frati tedeschi, benedettini ma nazionalisti, che si legarono in una sorta di confederazione religiosa coi conventi di Augusta, Ulma, eccetera. Un po' alla volta tedeschizzarono il convento, e san Zeno diventò la chiesa nazionale della grossa colonia teutonica che, per alterni motivi di affari o di guerra, risiedeva a Verona.

Nel Cinquecento, durante il carnevale, per le vie del popolare quartiere «sanzenato» girava il carro dell'abbondanza, edizione giocosa del carroccio, distribuendo gnocchi al posto di alabarde, per debellare un nemico più terribile del Barbarossa, la millenaria fame delle plebi italiche. Ma il carroccio, quello vero, non la sua parodia gastronomica, dava un insopportabile fastidio ai frati tedeschi. Ogni volta che entravano nella basilica e lo vedevano parcheggiato sotto la navata sinistra, si sentivano umiliati, quell'arnese di guerra ricordava una giornata nera per l'orgoglio germanico, la battaglia di Legnano, e nel 1583 lo vendettero come ferrovecchio.

Mezzo secolo più tardi i tedeschi dovettero lasciare l'abbazia. Il senato veneto non tollerava quell'infiltrazione straniera nel cuore della repubblica, diffidava dei legami «pangermanisti» tra Verona, Augusta e Ulma; e aiutato dalla peste del 1630, che uccise nove degli undici frati residenti nell'abbazia (Verona scese da cinquantatremilacinquecentotré a ventimilasettecentotrentotto abitanti), cacciò i benedettini e li sostituì con i vallombrosani. Il priore tedesco Mauro Haymb, espulso ma non domo, si rifugiò nella chiesa di san Fermo dove condusse una violenta lotta contro i suoi successori, senza esclusione di colpi. Il colpo peggiore toccò a lui: fu ferito in un attentato e poi ucciso con una pugnalata, a Mantova. In questa contesa le simpatie dei veronesi andarono, sembra incredibile, ai tedeschi, ai distruttori del carroccio, un po' per fare dispetto ai veneziani, un po' per ragioni commerciali. Verona trafficava con il Nord, e il Brennero, in quegli anni, contava molto più di Legnano.

Le sorti dell'abbazia non si risollevarono. Nel 1770 il governo veneto soppresse il monastero, per l'insanabile deficit finanziario, Napoleone fece il resto portandosi a Parigi il trittico del Mantegna, nel 1810 parte dell'edificio monastico fu abbattuto e i mattoni venduti.

Dell'antico edificio, albergo d'imperatori scomunicati, quartier generale di Enrico IV prima e dopo Canossa, rimane una torre severa, controbilanciata dalla parte opposta da uno svelto campanile a strisce bianche e rosse. Nel mezzo della facciata, il rosone, ovvero «ruota della Fortuna» eseguito nel XIII secolo dallo scultore Brioloto de Balneo, così chiamato perché si era costruito un bagno in casa, cosa a quei tempi degna di memoria. Le sei figure della ruota simboleggiano, prima salendo e poi precipitando, il rapido mutare delle sorti umane.

Una scritta ammonisce:

*En ego fortuna moderor mortalibus una*
*elevo depono bona cunctis vel mala dono*

(ecco che io, Fortuna, governo sola i mortali — elevo, depongo, do a tutti i beni o i mali).

Incalza un'altra:

*Induo nudatos denudo veste paratos*
*in me confidit si quis derisus abibit*

(vesto chi è nudo, spoglio chi è vestito — se qualcuno confida in me, andrà schernito).

Così muta il destino dell'uomo. Quello delle cattedrali, delle basiliche, è più stabile e longevo, la sua unità di misura è il millennio. Berto Barbarani, il gentile poeta di Verona, ha immaginato un colloquio tra la chiesa e il campanile, suo «vecio moroso». I ragazzi giocano a tamburello sul sagrato, gridano, fanno baccano. Come tutti i vecchi, il campanile s'infastidisce, non sopporta la chiassosa esplosione di giovinezza. Santo cielo, perché non vanno a giocare da un'altra parte? Risponde la chiesa al suo «vecio moroso»: *Lassa che i zuga, dopo i morirà*.

◊

# Impastata col vino
# la malta di Santo Stefano

◊

In principio era il diavolo. Mentre l'architetto Hans von Prachatitz costruiva il campanile meridionale di santo Stefano (XV secolo), accadde che il suo assistente Hans Puchsbaum s'innamorò della figlia e gliela chiese in sposa. Il principale, che non aveva alcuna simpatia per l'aspirante genero, gli pose una condizione durissima: costruire da solo il campanile settentrionale, non ancora iniziato, e terminarlo non un minuto dopo quello meridionale, già prossimo al compimento. Impresa sovrumana. Puchsbaum non si perse d'animo e si rivolse al diavolo, le cui virtù edificatorie erano ben note in Europa. Si pensi agl'innumerevoli «ponti del Diavolo» sorti nella cerchia alpina nel giro d'una notte, in cambio dell'anima dell'ignaro viandante che l'attraversava per primo. Si pensi al demone Asmodeo, che ebbe il coraggio di detronizzare Salomone, ma questi riuscì a incatenarlo obbligandolo ad aiutarlo a costruire il tempio di Gerusalemme.

Chiamato da Puchsbaum, l'infernale architetto si disse disposto ad aiutarlo, purché non disturbasse i lavori pronunciando il nome di Dio, della Madonna o dei santi, tutta gente che a lui stava antipatica. Il campanile cresceva a vista d'occhio, con malcelata rabbia del futuro suocero, senonché un giorno il diavolo fece apparire al giovane l'immagine dell'amata e colpito dalla sua bellezza questi non poté trattenersi dal correrle incontro, esclamando: «Maria!». Fu così che precipitò nel vuoto, e il diavolo, afferratane l'anima al volo, la portò all'inferno. Di vero in questa storiella c'è soltanto il nome dei due costruttori. Puchsbaum sopravvisse a Prachatitz, e se non terminò il campanile settentrionale, completò la navata e morì di morte naturale, nel 1454.

Altra leggenda. Un giovane fabbro che lavorava nel duomo e nel tempo libero amava divertirsi, rientrando in città dopo una serata di bagordi trovò chiuse le porte della cinta muraria. Bisognava pagare un pedaggio e lui non aveva neanche uno scellino. Tutti spesi con gli amici.

«Se permetti, pago io» s'intromise con voce insinuante un signore ben vestito. Poi, siccome un discorso tira l'altro, gli disse di conoscerlo molto bene, e di conoscere anche il suo segreto desiderio di vincere il concorso per la più bella serratura del duomo. E aggiunse:

«Se mi prometti di perdere messa, una volta, una volta sola, non pretendo di più, la vittoria sarà tua. Io sono il diavolo.»

Detto fatto. Poiché il re delle tenebre, in queste faccende, è un uomo, anzi un diavolo di parola, la serratura presentata dal fabbro fu giudicata, dalla competente commissione, di gran lunga la migliore. Vinta la gara, il giovane continuava ad andare a messa, da buon cristiano. Una domenica si attardò con gli amici all'osteria e dopo l'ennesimo bicchiere gli venne in mente il suo dovere religioso e corse, per quanto glielo consentivano i fumi del vino, verso santo Stefano, ma sulla porta incontrò una vecchietta che gli sghignazzò in faccia:

«Eh no, troppo tardi, la messa è finita, devi venire con me.»

Quella vecchietta era il diavolo e trascinò il fabbro all'inferno.

Fin qui le leggende. Le leggende non sono mai storia, ma ci aiutano a capirla. Il diavolo, abbiamo già visto, fu l'incombente presenza che sconvolse i sonni alle folle del medioevo. A parte le sue trasformazioni per ragioni, diciamo, di lavoro, ci fu chi lo descrisse come «un uomo piccolo, il collo magro, il viso emaciato, occhi nerissimi, la fronte rugosa, narici sottili, bocca prominente, labbra grosse, denti di cane, orecchie a punta e pelose, cranio a punta, petto gonfio, una gobba sul dorso, le natiche frementi». Così lo vide, poco dopo il Mille, il terrorizzato monaco borgognone

Rodolfo il Glabro. Al diavolo si attribuivano nove figlie, così maritate: la simonia ai chierici, l'ipocrisia ai monaci, la rapina ai cavalieri, la profanazione ai contadini, la simulazione ai servi, la frode ai mercanti, l'usura ai borghesi, la pompa alle matrone, e finalmente la lussuria che non ha voluto maritare, ma offre a tutti come amante comune.

La sua casa, secondo i calcoli d'un gesuita, è larga duecento miglia e può contenere due miliardi di anime. Altri conteggi assicurano che la burocrazia di Belzebù ha in organico, tra personale direttivo, esecutivo e subalterno, 7.405.926 diavoli. Un catastrofico predicatore, Bertoldo di Ratisbona (XIII secolo), gridò dal pulpito che le probabilità di andare all'inferno erano, per il cristiano, centomila contro una.

Collaboravano col diavolo, nella simbologia medievale, il caprone che rappresentava la lussuria, la lupa l'avarizia, la tigre l'arroganza, lo scorpione il tradimento, il leone la violenza, il corvo la malizia, perché nero, in contrapposizione al bianco ( = innocenza) della colomba. Il maiale, lo struzzo, i rapaci erano considerati animali impuri. Nella volpe si vedeva un'allegoria dell'eretico, nel leopardo l'anticristo, nel ragno il diavolo, perché tesse la tela preferibilmente di notte, come il diavolo preferisce la notte per tentare l'uomo. Tranne qualche eccezione, la zoologia era il regno del male. In santo Stefano, sulla ringhiera della scala del pulpito scolpito da Anton Pilgram, capolavoro del gotico fiammeggiante, viscidi rospi tentano di salire. Rappresentano il peccato, essendo animali che vivono nel fango, lontani dalla luce. Ma a contrastargli il passo ecco scendere guizzanti lucertole, emblema del bene, perché vivono al sole. Al termine della ringhiera vigila un cane, che protegge il predicatore. Fedele amico dell'uomo, esso simboleggia, superfluo dirlo, la fede.

Il medioevo pensava che tutto sulla terra è simbolo; il significato d'una parola, il valore d'una cosa rimandano sempre, come in un gioco di specchi, a significati metaforici, a valori metafisici; e il mondo visibile vale per quella parte del mondo invisibile ch'esso contiene. Non soltanto la zoologia, ma anche la botanica e ogni altra scienza umana erano ancelle della fede: nel senso che un fiore, un animale erano un promemoria di ciò che il credente doveva fare o evitare per raggiungere la vita eterna, quasi una targa segnaletica per l'aldilà.

Anche la matematica andava letta in chiave teologica. Uno è Dio, due i Testamenti, tre le virtù teologali, quattro i vangeli, cinque le piaghe di Cristo, sei i giorni della creazione, sette i sacramenti, otto le beatitudini, nove i cori angelici, dieci le leggi del decalogo, dodici gli apostoli e gli articoli di Credo. Joris-Karl Huysmans, lo scrittore francese convertito dal positivismo al misticismo, interpreta la struttura delle cattedrali in chiave teologica: il tetto è il simbolo della carità che copre i peccati, le tegole i cavalieri che la difendono; i quattro muri perimetrali, i quattro vangeli; le finestre, i cinque sensi chiusi al mondo e aperti al cielo; i vetri le sacre scritture che lasciano passare la luce del sole (la fede) e fermano i venti (le eresie). I tre portali della facciata rappresentano la Trinità.

Il numero magico di santo Stefano è il trentasette. Esso sta alla base di tutti i calcoli dei costruttori. La navata è alta piedi trentasette × tre; lunga piedi trentasette × tre × tre; il campanile è alto piedi trentasette × tre × quattro. Sulla perfezione del numero tre non occorrono spiegazioni; per capire l'importanza del trentasette basterà scriverlo in lettere romane: XXXVII. Risulta così che esso contiene tre volte il segno X, cioè il segno della croce, mentre il VII simboleggia i sacramenti. Si noti inoltre che X compare tre volte, e che tre aggiunto a sette ci dà dieci, vale a dire il numero dei comandamenti.

Quei prodigiosi costruttori conciliavano le leggi della statica con quelle della mistica, Euclide e il catechismo. La sola cosa che non riuscivano a prevedere e domare erano gl'incendi. Iniziata nel 1147, in stile romanico, la chiesa fu semidistrutta dalle fiamme nel 1258 e ricostruita da Ottocaro, re di Boemia, che regalò alla città un'intera foresta. Il legname era la materia prima per la costruzione e, purtroppo, anche per la distruzione degli edifici. Della chiesa ricostruita da Ottocaro restano una parte della facciata e le torri dette dei Pagani. Il rimanente, cioè la chiesa come la vediamo adesso, è frutto della caparbia volontà d'un ambizioso Asburgo, Rodolfo IV.

Siamo nel XIV secolo, l'Austria è solo un ducato; Carlo IV di Lussemburgo, imperatore del Sacro romano impero, designa nella Bolla d'Oro (1356) i sette grandi elettori: il re di Boemia, il duca di Sassonia, il margravio di Brandeburgo, il conte del Palatinato e gli arcivescovi di Magonza, Treviri e Colonia. Il duca d'Austria, Rodolfo IV, che ha sposato la figlia dell'imperatore, ne è escluso, lui non avrà diritto di partecipare all'elezione del re di Germania. Ma non si dà per vinto e inaugura una politica concorrenziale nei confronti del suocero. Carlo aveva fondato una mezza dozzina di chiese a Praga? Rodolfo, riprendendo con dovizia di mezzi i lavori iniziati da suo padre, Alberto II, allarga e rifà in stile gotico il vecchio e romanico santo Stefano di Vienna (7 aprile 1359). Carlo aveva fondato l'università di Praga? Rodolfo fonda nel duomo l'università di Vienna e il prevosto ne diventa il cancelliere.

Da allora santo Stefano fu la chiesa residenziale della dinastia, il secondo pilastro del fortunato binomio Trono e Altare; e residenza «parziale» anche post mortem. Diciamo parziale perché nella cripta sono conservati, dentro lugubri pentoloni di rame protetti da nere inferriate, i visceri degli Asburgo. Le salme si trovano nella cripta dei Cappuccini, in Neuer Markt. Il cuore dei sovrani, dentro urne d'argento nella chiesa degli Agostiniani. Un macabro protocollo prescriveva tre luoghi diversi. Quando un Asburgo moriva, oltre che dal mondo si separava anche da se stesso.

I viennesi in vena di scherzose iperboli dicono che santo Stefano ha vittoriosamente scavalcato i secoli, perché fatto con malta robusta, impastata col vino. E citano la vendemmia del 1456 che fu così cattiva, il vino così acido da essere chiamato *Reifenbeisser*, che corrode i cerchi delle botti (*Reifen* = cerchio, *beissen* = mordere). I vignaioli volevano gettarlo nel Danubio, ma l'imperatore Federico III si oppose, disse che anche il più acido dei vini era un dono di Dio e buttarlo via sarebbe stato un peccato. Perciò con quel vino furono impastate le malte della fabbrica.

Avvicinandosi l'età moderna, il diavolo che angosciava

la gente assunse una connotazione precisa e concreta: i turchi. Sono questi, non quelli della leggenda, i diavoli che bloccano i lavori del campanile nord. Nel 1453, Maometto II prende Costantinopoli e punta verso ovest, mentre Giovanni da Capistrano predica a santo Stefano (si veda il pulpito all'esterno della chiesa, vicino all'ingresso del garage sotterraneo) la crociata per fermare l'infedele. Dopo alterne vicende i turchi arrivano sotto le mura di Vienna. E Lutero, che farà? «Piuttosto turco che papista» è la risposta del frate ribelle, «combattere i turchi vuol dire opporsi a Dio, che usa queste verghe per punire i nostri peccati».

In verità, a Vienna si erano avute avvisaglie di contestazione antiromana prima ancora che Lutero comparisse all'orizzonte. I quaresimalisti avevano tuonato contro il commercio delle indulgenze, la corruzione del clero, il culto fanatico delle reliquie. Johann Vaesel, predicatore di santo Stefano, fu destituito per le sue concioni poco ortodosse. Il borghese Gaspard Tauber, che aveva negato la divinità di Gesù, fu bruciato e i suoi beni destinati alla guerra contro i turchi. E per fortificare le mura fu alienato il tesoro del duomo.

Settembre 1529: Vienna è circondata, i ricchi scappano con i quattrini, la sua difesa è affidata al conte Niklas Salm, generoso ma settantenne, che sale sul campanile di santo Stefano a osservare, sbigottito, lo schieramento di Solimano il Magnifico. Questi, catturato un alfiere, lo rimanda a Niklas con un messaggio: o ti arrendi subito o distruggo la città. Per fortuna arriva l'inverno e i nemici, scarseggiando i viveri e il riscaldamento, lasciano la preda. Nel 1532, seconda minaccia dei turchi che arrivano fino alla città di Güns, nell'Ungheria occidentale, e re Ferdinando ordina di vendere i calici delle chiese per allestire, col ricavato, opere di difesa. Ma l'anno cruciale, l'«anno dei turchi», che ancor oggi i ragazzi delle elementari studiano come un'epopea nazionale, un esaltante western sul Danubio, fu il 1683.

Centosettantamila uomini, guidati dal Gran Visir Kara Mustafà, puntarono su Vienna e la cinsero d'assedio. Tutte le forze della Mezzaluna, un poderoso impero che si estendeva da Bagdad al Marocco, dal Golfo Persico al Danubio, stavano giocando, incoraggiate dalla conquista di Candia strappata ai veneziani (1669), la carta decisiva contro l'Europa cristiana, indebolita dalla guerra dei Trent'anni. Poteva essere una di quelle battaglie che cambiano il corso della storia, la rivincita di Lepanto; il sogno, finalmente realizzato, di por mano sulla «mela d'oro», la sfera lucente nel sole, in cima al campanile di santo Stefano. Fronteggiavano quella marea i ventimila uomini di Ernst Rüdiger, conte di Starhemberg, che dall'alto del campanile osservava il campo nemico, l'immensa distesa policroma di venticinquemila tende, e i fastosi padiglioni di Kara Mustafà, che si era portato al seguito millecinquecento concubine, custodite da settecento eunuchi neri (uno ogni due sorvegliate). E scrutava ansioso l'orizzonte, in attesa dei rinforzi.

La situazione era disperata, già le palle cadevano sul duomo e sulla città. Arrivate finalmente le milizie del duca Carlo di Lorena e di Giovanni Sobieski, re di Polonia, il 12 settembre, dopo due mesi d'assedio, sulle colline del Kahlenberg si combatté lo scontro decisivo, con la vittoria dei settantamila cristiani, inferiori di numero ma meglio organizzati. Questi ebbero duemila morti, i turchi diecimila. Giovanni Sobieski, che prima della battaglia aveva servito messa, penetrato nel campo nemico s'impossessò della bandiera del Profeta e la inviò al papa. Ma tenne per sé il resto. Vale a dire il tesoro del Gran Visir abbandonato dal nemico in fuga, che portò con sé in Polonia, lasciando a bocca asciutta gli altri duci cristiani.

Kara Mustafà si ritirò su Belgrado, dove fu raggiunto da un messo del sultano, Maometto IV, che gli presentò un laccio di seta. Mustafà capì. Era il laccio con cui venivano ritualmente strangolati coloro che cadevano in disgrazia presso il principale. Senza opporre resistenza, stese per terra il tappeto per l'ultima preghiera e porse il collo al carnefice, affinché fosse fatta la volontà del sultano «ombra di Allah sulla terra». Era il Natale del 1683.

Di quell'epopea restano alcune testimonianze: la scritta sul campanile meridionale, all'altezza di ottanta metri: «Guarda giù Maometto, cane tu» (il male che hai fatto alla città). La ricetta del caffè alla turca. I pani chiamati *Kipfel*, cioè mezzaluna, diffusi poi anche nel Lombardo-Veneto durante la dominazione austriaca (nel periodo dell'assedio alcuni fornai viennesi acquistarono benemerenze patriottiche, ascoltando nella cavità del forno i discorsi che dall'altra parte facevano i nemici, e carpendo informazioni militari). Restano anche i malinconici avanzi di un monumento eretto in santo Stefano per celebrare la vittoria. Col bronzo di centottanta cannoni presi ai turchi venne fusa una campana di duecento quintali, chiamata Pummerin e messa sul campanile. Ma verso la fine della seconda guerra mondiale il tetto, per i bombardamenti, prese fuoco e la colossale Pummerin, bronzo musulmano convertito al cristianesimo, precipitò nell'interno della chiesa, piombando, guarda caso, proprio sul gruppo statuario che da due secoli e mezzo immortalava la vittoria del 1683. Dal momento che nelle chiese il simbolismo è di rigore, che cosa significa questo crollo-boomerang? Che in chiesa non bisogna mai onorare la guerra? Che non è lecito appendere nella casa del Signore i trofei del nemico vinto, sia pure un nemico infedele?

In santo Stefano è sepolto (ma il cuore è a Superga) il principe Eugenio di Savoia, che a vent'anni lasciò la corte del re Sole per accorrere a Vienna assediata e prendere il posto del fratello Luigi Giulio, caduto in battaglia. Italiano d'origine, cittadino europeo per vocazione, questo futuro maresciallo dell'impero si firmava con un impasto trilingue Eugenio von Savoy. È sepolto anche Federico III, bisnonno di Carlo V, in un mausoleo capolavoro della scultura funeraria gotica. Romanica nella facciata, gotica nel resto, la cattedrale di santo Stefano mostra all'interno fantasiosi altari barocchi. Il barocco, nelle chiese e nei palazzi viennesi, è figlio della controriforma. Se l'Austria rimane cattolica, è perché restò cattolica la monarchia. Trono e altare si sorressero a vicenda. I gesuiti, direttori di coscienza e, indirettamente, direttori dei lavori, favorirono il sorgere di chiese barocche o barocchizzarono quelle gotiche. Scopo non tanto segreto, arginare le infiltrazioni luterane o calviniste proponendo un cattolicesimo scenografico e trionfalista, di facile presa sulle masse. È di questo periodo l'«offensiva conventuale» che fece pullulare in tutta l'Austria chiese e conventi, tanto che Oesterreich fu scherzamente letto Kloster-reich (*Klöster* = chiostro).

Nella prima cappella a destra si venera un'immagine della Madonna, detta Maria Poetsch, dal paese ungherese di provenienza. Fu portata a Vienna per sottrarla ai turchi e i devoti assicurano che piange ogni volta che la città patisce sventura. Vicino al pulpito del Pilgram c'è la «Madonna delle serve», appartenuta a una contessa molto religiosa e altrettanto dura con la servitù. Un giorno, essendole scomparso un prezioso gioiello, incolpò la cameriera e chiamò le guardie. La ragazza, per dimostrare la sua innocenza, s'inginocchiò davanti alla statua supplicando: «Santa Vergine, aiutami tu». Non l'avesse mai fatto. Furibonda di sdegno, la contessa s'interpose fra lei e la statua gridando: «Questa è una Madonna per nobili, non vorrai pensare che dia ascolto a una serva. Guardie, arrestatela!». Le guardie non arrestarono nessuno e cominciarono a perquisire le stanze del personale. Il gioiello fu trovato dentro un armadio dello stalliere che era, tra parentesi, l'amante della contessa. Questa lady Chatterley del Danubio non perdonò alla Madonna di averla pubblicamente svergognata e si disfece della statua, regalandola al duomo. Da allora s'inginocchiano davanti a lei le domestiche in cerca di lavoro e, da qualche tempo, molte padrone in cerca di domestiche.

Davanti alla facciata romanica anticamente si amministrava la giustizia. Nel muro sono confitte due sbarre che servivano come protomisura per i mercanti, non esistendo il metro. Viene in mente il *passus ferreus* depositato nel duomo di Napoli, unità di misura agraria. In talune chiese dei primi secoli, l'altar maggiore serviva da cassetta di sicurezza, per i risparmi dei fedeli: lì nessuno li avrebbe toccati. Vicino alla Porta Gigante si vede tuttora inciso nel muro il segno d'una circonferenza: era la misura di pane obbligatoria per i fornai viennesi. Pene severe a chi non rispettava il diametro. Un fornaio troppo furbo fu rinchiuso in una gabbia e immerso più volte nel Danubio, affinché si rinfrescasse la memoria del settimo comandamento, non rubare.

Oltre alle minute vicende della cronaca, santo Stefano assistette ai grandi avvenimenti della storia, matrimoni imperiali, rivolte di popolo, invasioni di stranieri — i soldati di Napoleone — che depredarono gli altari. Nel 1848 la rivoluzione liberale che incendiò l'Europa mise a soqquadro anche Vienna, la corte fuggì, il conte Theodor Franz Latour, ministro della guerra, fu impiccato a un lampione, mentre sul campanile saliva la bandiera nero-rosso-gialla degli insorti che volevano, con la costituzione, l'unità tedesca. Guardie e insorti s'inseguirono fin dentro il duomo, uno cadde morto sui gradini d'un altare.

Sul campanile, che è il quarto in Europa per altezza, salirono anche i capi della rivolta, a osservare l'arrivo delle milizie di Lajos Kossuth, anima della rivoluzione ungherese, che dovevano accorrere in loro aiuto. Ma queste non arrivarono mai e intorno a Vienna si strinse implacabile l'anello delle truppe del principe Windischgrätz, nominato dittatore militare, del generale Jelacic e del maresciallo Radetzky, le cui iniziali WIR, che significano *noi*, siamo arrivati noi, erano incise sulle sciabole degli ufficiali. La rivolta fu soffocata nel sangue, in un solo giorno furono impiccati tredici generali. Dal campanile fu strappata la bandiera della rivoluzione e sostituita con quella giallo-nera degli Asburgo.

Un'ultima sparatoria nel piazzale del duomo, poi l'impettita sfilata delle truppe imperiali, tra gli applausi dell'aristocrazia e qualche timido fischio proletario. Vienna ritornò a ballare il valzer.

Fucili ad avancarica e clavicembali ben temperati, nessuna chiesa può vantare tanta dovizia di esperienze guerresche e musicali. Tutti i maggiori musicisti del Sette e Ottocento abitarono o lavorarono nelle vie attorno al duomo, da Mozart a Brahms, da Haydn a Beethoven, l'irascibile Ludwig che cambiò una trentina di alloggi. Nel coro delle voci bianche di santo Stefano cantò il ragazzino Haydn, ma un mattino la sua voce cambiò e l'imperatrice Maria Teresa, ignara dell'improvvisa rivoluzione ormonica, domandò: «Chi raglia in quel modo?»

In duomo Haydn, Mozart e Strauss figlio si sposarono, Mozart vi battezzò i figli, suonò l'organo ed ebbe i funerali. Una cortina di musica avvolgeva santo Stefano propagandosi a tutta la città, alle grandi orchestre dell'Opera, alle gaie fanfare del Prater. Pare che qui la vita non sia concepibile senza musica. Le ore importanti della storia, nel trionfo e nella tragedia, sono scritte su uno spartito. Il Congresso di Vienna fu inaugurato dalla *Settima sinfonia* di Beethoven, diretta dall'autore. La vittoria di Custoza sui piemontesi (1848) fu celebrata da Strauss padre con la *Marcia di Radetzky*, il cui brio da operetta evoca le scintillanti parate in piazza d'armi, più che la polvere e il sangue del campo di battaglia. Un secolo più tardi, le note del *Terzo uomo* di Anton Karas espressero, con la loro martellante ossessione, l'angoscia d'una ex capitale del mondo, straziata dalla guerra, umiliata dalla sconfitta, con il suo santo Stefano divorato dalle fiamme.

«Era l'8 aprile 1945, i russi avanzavano da tre lati, i tedeschi fuggivano verso nord» racconta il reverendo Johann Reisenberger, curato di santo Stefano in quei drammatici giorni «una bomba incendiaria cadde sulla casa vicina e il forte vento che soffiava da nord — Vienna è sempre ventosa, Wien deriva forse da Wind, vento? — propagò le fiamme alla chiesa. Il clima era secco, non pioveva da molti giorni, per colmo di sventura andarono rotte le tubature dell'acquedotto. Quattro giorni durarono le fiamme, avvolgendo in un unico rogo case e chiesa. Una bomba d'aereo cadde sul duomo proprio nel punto in cui, nel 1683, era caduto un proiettile turco. Ho visto dei viennesi rifugiarsi nei sotterranei del duomo, tra le pentole contenenti i visceri degli Asburgo. Che strano accostamento di gloria passata e sventura presente. C'erano i morti abbandonati per le strade, mancavano i becchini, la gente affamata squartava col coltello le carogne dei cavalli. I russi assetati scesero nelle cantine, qualcuno sparò alle botti e, ubriaco, affogò nel vino. Non dimenticherò mai quei giorni.»

«Quando videro santo Stefano in fiamme, i viennesi piansero sospirando: "Questa è davvero la *finis Austriae*"» ricorda il professor Adam Wandruszka, uno degli animatori della ricostruzione. La chiesa risorse per la concorde collaborazione di tutti i Länder. La Stiria offrì la Porta Gigante, l'Austria Superiore la Pummerin, la Bassa Austria il pavimento, il Vorarlberg i banchi, il Tirolo le vetrate, la Carinzia i lampadari, il Burgenland la balaustrata, il Salisburghese il tabernacolo, Vienna il tetto. Era di legno, del XV secolo, duemilaottocentottantanove tronchi di larice arsi come torce; fu rimpiazzato con una travatura di alluminio. I viennesi si tassarono pagando cinque scellini cadauna le duecentocinquantamila piastrelle di ceramica colorata che rivestono il tetto, disegnando una severa aquila bicipite, le ali adagiate su un luccichio di dieci tinte: blu, rosso bruno, bianco, antracite, ocra, cenerino, grigioazzurro, terra di Siena, verde cupo, giallo cadmio. Le piastrelle provengono dalla stessa fabbrica cecoslovacca che aveva fornito le precedenti, nel secolo scorso. E si dovettero superare molte difficoltà burocratiche, perché gli occupanti russi non volevano autorizzare il trasporto e il governo di Praga pretendeva dollari, non sapeva che farsene degli scellini.

Nel 1952 il duomo fu riaperto al culto, con una settimana di feste, processioni, canti e giaculatorie cui partecipò, sotto lo sguardo delle truppe d'occupazione, tutto il popolo. C'erano i vecchi che avevano conosciuto Francesco Giuseppe e i ragazzini nati sotto i bombardamenti, le vedove di guerra e i mutilati; gl'intellettuali, gli studenti gli operai; i democratici di antica fede e i nazisti convertiti, anche quelli che nel 1938 avevano applaudito all'Anschluss e creduto in Adolf Hitler, ultima incarnazione del diavolo.

◊
# Glossarietto tecnico
# per chi tecnico non è
◊

| | |
|---|---|
| **abbazia** | convento retto da un abate |
| **abside** | parte della chiesa, dietro l'altar maggiore, di solito semicircolare |
| **altare** | mensa sulla quale il sacerdote offre il sacrificio a Dio |
| **ambone** | pulpito, per lo più di marmo, per le prediche e le letture liturgiche |
| **architrave** | struttura a linea retta che chiude un'apertura nella parte superiore |
| **arco a sesto acuto, detto anche ogivale o gotico** | nasce dalla congiunzione di due curve, che incontrandosi formano un angolo acuto |
| **arco a tutto sesto** | formato da un semicerchio |
| **arco moresco** | a ferro di cavallo |
| **arco rampante** | struttura a forma di mezzo arco che serve di controspinta, per sostenere dall'esterno una parete |
| **arco scemo o ribassato** | formato da una porzione di arco, minore della semicirconferenza |
| **badia** | *vedi* abbazia |
| **balaustra** | struttura a colonnette, collegate da un basamento e da una cimasa, che serve da parapetto o da elemento divisorio |

| | |
|---|---|
| **basilica** | chiesa notevole per dimensioni e per privilegi connessi. In relazione a questi, si dividono in *maggiori* (a Roma, san Giovanni in Laterano, san Pietro in Vaticano, san Paolo fuori le mura, santa Maria Maggiore; fuori Roma, san Francesco in Assisi e la cattedrale di Anagni) e *minori* |
| **battistero** | luogo o edificio che ospita il fonte battesimale |
| **bifora** | finestra o porta suddivisa in due aperture, per mezzo d'una colonnina |
| **campata** | spazio compreso tra i due pilastri, tra le due colonne che sorreggono un arco o una trave |
| **canonica** | la casa del parroco, di solito vicina alla chiesa |
| **cantoria** | tribuna riservata ai cantori durante gli uffici sacri |
| **capitello** | parte superiore della colonna, su cui poggia l'architrave |
| **capitolo** | l'insieme dei canonici d'una cattedrale che assistono il vescovo nel governo della diocesi |
| **cappella** | piccola chiesa, isolata o incorporata in altro edificio, sacro o profano. Edicola con altare, situata lateralmente nelle navate della chiesa, e dedicata a un santo (viene talvolta designata col nome della famiglia committente). Il nome deriva dall'oratorio in cui i re merovingi veneravano una reliquia della cappa di san Martino di Tours |
| **cariatide** | ornamento architettonico, in figura umana, spesso femminile, che sorregge un'architrave, una cornice, eccetera |
| **catacomba** | complesso cimiteriale sotterraneo dove i primi cristiani si riunivano per sfuggire alle persecuzioni, approfittando della legge che negava alla polizia l'ingresso ai cimiteri |
| **cattedrale** | chiesa sede della cattedra vescovile |
| **certosa** | monastero di frati certosini |

| | |
|---|---|
| **ciborio** | tabernacolo, nicchia che custodisce l'ostia consacrata |
| **collegiata** | chiesa con capitolo di canonici, ma senza vescovo |
| **coro** | luogo dietro l'altar maggiore dove si riunisce il capitolo a cantare gli uffici divini |
| **cripta** | sotterraneo della chiesa, adibito alla sepoltura di corpi santi e alla custodia delle reliquie |
| **croce greca** | pianta d'una chiesa, con quattro corpi ortogonali di eguale lunghezza |
| **croce latina** | pianta di chiesa con quattro corpi ortogonali, di cui uno notevolmente più lungo degli altri |
| **crociera** | struttura architettonica risultante dall'intersezione ortogonale di due navate o due bracci |
| **dalmatica o vestis dalmatica** | veste usata dai dalmati. Ampia tunica con mezze maniche, tagliata quadra in basso e non tonda come la pianeta |
| **deambulatorio** | corridoio che in alcune chiese romaniche e gotiche gira intorno all'abside |
| **doccione** | bocca di scarico sporgente dalla grondaia, in modo che l'acqua piovana cada lontano dal muro |
| **duomo** | *vedi* cattedrale. Nelle città prive di sede vescovile, indica la chiesa più importante |
| **ex voto** | oggetto promesso e donato a seguito d'una grazia ricevuta |
| **frontone** | ornamento architettonico, a forma triangolare, che si pone sopra la facciata d'un edificio con tetto a due spioventi, oppure sopra le porte e le finestre |
| **iconostasi** | nelle chiese bizantine e russe, tramezzo divisorio tra il celebrante e i fedeli, ornato di statue, icone, eccetera |
| **lanterna** | la parte più alta d'una cupola, da cui scende la luce attraverso grandi finestre |
| **lunetta** | elemento architettonico di una muratura, a forma semicircolare, che sovrasta una porta o una finestra |

| | |
|---|---|
| **matroneo** | loggiato delle basiliche protocristiane dove stavano appartate le donne. Corre sulle navate laterali, affacciandosi su quella centrale |
| **metropolitana (chiesa)** | sede di un metropolita o arcivescovo, la cui diocesi è la principale d'una determinata provincia ecclesiastica |
| **nartece** | vestibolo presso la porta delle prime chiese cristiane dove sostavano, durante la parte sacrificale della messa, i catecumeni, vale a dire i non battezzati che stavano preparandosi al battesimo |
| **navata** | ciascuna delle divisioni longitudinali della chiesa |
| **oratorio** | piccolo edificio sacro, spesso annesso a chiese o conventi, nel quale si fa orazione |
| **ostiario** | da *ostium*, porta. È il chierico che ha ricevuto l'ostiariato, uno degli ordini minori (oggi soppressi) e ha il compito di aprire e chiudere le porte della chiesa e custodirla |
| **paliotto** | paramento che ricopre la parte antèriore d'un altare. Spesso è di stoffa molto pregiata, fissata a un'intelaiatura |
| **pallio** | stola di lana bianca, lunga e stretta, ornata di croci e frange nere, portata sopra la pianeta dal papa, dai patriarchi e dagli arcivescovi |
| **pennacchio** | tratto di muro curvilineo, generalmente triangolare, che collega la base d'una cupola con i muri o i pilastri |
| **pianeta** | paramento indossato dal prete sopra il camice durante la messa. Aperto ai fianchi, di colore variabile secondo il tempo liturgico |
| **pieve** | parrocchia di campagna o anche chiesa parrocchiale, che ha sotto la sua giurisdizione altre chiese rurali |
| **piviale** | paramento costituito da un lungo mantello aperto davanti e trattenuto sul petto da un fermaglio |
| **polittico** | pala d'altare costituita da riquadri uniti fra loro (più di tre) |

| | |
|---|---|
| **predella** | tavoletta rettangolare, spesso dipinta a più riquadri, che corre lungo la base di un polittico o d'una pala d'altare. Talvolta contiene la raffigurazione di storie relative all'altare |
| **presbiterio** | quella parte della chiesa intorno all'altar maggiore, sopraelevata con gradini di numero dispari e riservata al clero officiante (dal greco *presbytèrion*: consiglio di anziani) |
| **primaziale (chiesa)** | sede d'un vescovo che ha il titolo di primate. Tale titolo compete al vescovo della sede più importante di ogni nazione |
| **pronao** | ampio porticato a colonne nella parte anteriore dei templi antichi e degli edifici classicheggianti |
| **protiro** | piccolo portico su due colonne addossato alla facciata delle chiese romaniche |
| **pulpito** | cattedra sopraelevata che serve alla predicazione. Di pietra, di legno, di metallo, sempre artisticamente lavorato |
| **rocchetto** | sopravveste bianca di lino, con pizzo, lunga fino a mezza gamba, indossata dai prelati |
| **rosone** | finestra a vetri rotonda, intagliata, a forma di grande rosa nel mezzo della facciata, per illuminare l'interno delle chiese romaniche e gotiche |
| **sacello** | piccola cappella, oratorio |
| **sacrario** | luogo dove si conservano le cose sacre |
| **sagrato** | spazio antistante la chiesa |
| **sagrestano** | addetto alla custodia delle cose sacre e alla pulizia della chiesa |
| **sagrestia** | luogo dove sono custoditi i paramenti e gli arredi per il servizio religioso, e dove i preti si vestono per le funzioni liturgiche |
| **santuario** | chiesa o luogo dove si conservano importanti reliquie, immagini miracolose |

| | |
|---|---|
| **sarcofago** | cassa di pietra o metallo contenente il corpo d'un defunto |
| **sottarco** | la faccia inferiore della struttura d'un arco |
| **stallo** | seggio a braccioli dove siedono i prelati, nel coro |
| **stiloforo** | si dice degli animali che reggono le colonne d'un protiro |
| **strombatura** | porta o finestra con stipite tagliato obliquamente, ovverosia svasato, verso l'interno o verso l'esterno |
| **suburbicaria** | sede vescovile nei dintorni di Roma |
| **suffraganea** | diocesi facente parte d'una provincia ecclesiastica, cui presiede un metropolita |
| **tamburo** | parte della cupola compresa tra gli elementi di base (muri o pilastri) e la calotta, spesso provvista di finestre |
| **tempio** | edificio consacrato alla divinità |
| **tiburio** | struttura esterna, cilindrica o prismatica, che ricopre la superficie curva della cupola |
| **timpano** | spazio triangolare o mistilineo, tra la cornice e i due spioventi del frontone |
| **transetto** | in una chiesa a croce latina è la navata che rappresenta il braccio più corto. Nei primi tempi del cristianesimo era riservata al clero |
| **tribuna** | *vedi* abside |
| **trifora** | finestra o porta suddivisa in tre aperture per mezzo di due colonnine |
| **triregno** | copricapo indossato dal papa e costituito da tre corone sovrapposte, simbolo delle tre chiese: militante, purgante, trionfante |
| **trittico** | polittico formato da tre tavole (le due laterali talvolta sono chiudibili) |
| **vasi sacri** | per l'eucaristia sono: il calice; la pisside, che serve per la conservazione delle particole e la distribuzione della comunione; l'ostensorio, per l'esposizione dell'ostia consacrata, adorata in chiesa oppure portata in processione |

# SOMMARIO

Finito di stampare nel mese di giugno 1990
dalla RCS Rizzoli Libri S.p.A. - Via A. Scarsellini, 17 - 20161 Milano

Printed in Italy

BUR
Periodico settimanale: 27 giugno 1990
Direttore responsabile: Evaldo Violo
Registr. Trib. di Milano n. 68 del 1°-3-74
Spedizione abbonamento postale TR edit.
Aut. n. 51804 del 30-7-46 della Direzione PP.TT. di Milano

## NELLA STESSA COLLANA

*Giulio Andreotti*
Onorevole stia zitto

*Enzo Biagi*
Amori

*Giuseppe Bottai*
Diario 1935-1944

*Carlos Castaneda*
L'isola del tonal

Il secondo anello
del potere

*Silvio Ceccato*
Ingegneria della felicità

*Christiane F.*
Noi, i ragazzi
dello zoo di Berlino

*H. J. Eysenck*
Q.I. Nuovi test
d'intelligenza

Le prove d'intelligenza

*Adriana Flamigni*
*Rosella Mangaroni*
Ariosto

*John Kenneth Galbraith*
Storia della economia

*Giovanni Paolo II*
Parole sull'uomo

*Luca Goldoni*
La tua Africa

Vai tranquillo

*Stephen Hawking*
Dal big bang ai buchi neri

*Stanley Karnow*
Storia della guerra
del Vietnam

*Tullio Kezich*
Fellini

*Madre Teresa di Calcutta*
Le mie preghiere

*Cesare Marchi*
L'Aretino

Impariamo l'italiano

Grandi peccatori

Grandi cattedrali

*Indro Montanelli*
Storia di Roma

Storia dei Greci

*Vincenzo Paglia*
Colloqui su Gesù

*Giampaolo Pansa*
Carte false

*Michel Platini*
La mia vita come una
partita di calcio

*Antonio Spinosa*
I figli del duce

*Victor Von Hagen*
Alla ricerca dei Maya